Mac First Experience Perfect Guide

はじめての Mac
パーフェクトガイド
2023

JN063749

WARNING! 必ず お読み ください

本書掲載の情報は、2022年12月10日現在のものであり、各種機能や操作方法、価格や仕様、WebサイトのURLなどは変更される可能性があります。本書の内容はそれぞれ検証した上で掲載していますが、すべての機種、環境での動作を保証するものではありません。以上の内容をあらかじめご了承の上、すべて自己責任にてご利用ください。

CONTENTS

1章
Macの超基本

5章
iPhoneやiPadをMacと上手く使う……81

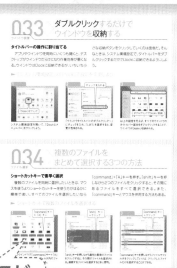

Mac
というコンピュータ
〜 そ の 魅 力 と 特 徴 を 探 る 〜

Macとはどんな
コンピュータなのか

　1984年に登場した初代Macintoshか
ら、連綿と受け継がれているアップルのパ
ソコン「Mac」。長い歴史の間には浮き沈
みもありましたが、近年はこれまでの主要
ユーザーだった出版・デザインや音楽、教
育分野だけでなく、ビジネスや家庭用パソ
コンとしても人気を集めつつあるようで
す。

　では、Macとはどのようなコンピュータ
なのでしょうか。その特徴や魅力を探って
みることにしましょう。

デザインとパワーを
兼ね備えたMac

　Macを語るうえでまず触れなければい
けないのが、その洗練されたデザインでし
ょう。シンプルでありながら、アップルらし
さをしっかりと主張するデザインは、ボデ
ィに配されたアップルロゴと相まって「所
有する喜び」を感じさせてくれます。

　一方でMacには最新のCPUやインター
フェイスなど、先端のテクノロジーが注ぎ
込まれているのも特徴です。美しい外観
と先鋭的なパフォーマンスを兼ね備えた
コンピュータ、それがMacなのです。

iPhone、iPadの
ベストパートナー

　もしあなたがiPhoneやiPadを使ってい
るのなら、Macは最高のパートナーになっ
てくれます。同期やバックアップはもちろ
んですが、無料で使えるクラウドサービス
「iCloud」を使えば、Macとこれらの端末
をスムーズかつ自然に連携できます。
MacとiPhone、iPadを組み合わせれば、
それぞれのポテンシャルを最大限に引き
出すことができるでしょう。何も面倒な設
定は要りません。Apple IDを登録するだ
けですべてがつながります。

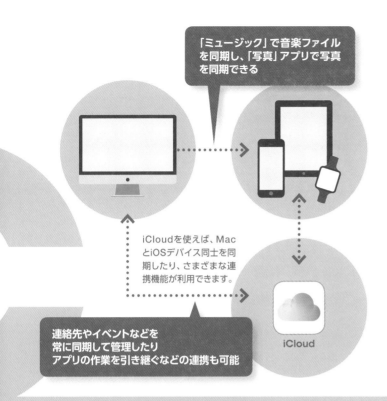

「ミュージック」で音楽ファイル
を同期し、「写真」アプリで写真
を同期できる

iCloudを使えば、Mac
とiOSデバイス同士を同
期したり、さまざまな連
携機能が利用できます。

iCloud

連絡先やイベントなどを
常に同期して管理したり
アプリの作業を引き継ぐなどの連携も可能

iPadを持っているなら、Macと組み合わ
せることで、とても便利に利用できます。
「サイドカー」「ユニバーサルコントロール」
を使ってみましょう（86ページ参照）

Macには最初から基本的なアプリが
揃っています。Mac App Storeを
使えば、アップル製のオフィスアプリ
やムービー編集ソフトも無料でダウ
ンロードできます。

macOSの画面はとても
シンプル。マウスやトラッ
クパッドを使って、直感的
に操作できます。

シンプルで奥深い macOSの魅力

次に、Macの中身に目を向けてみましょ
う。Macの基本ソフト「macOS」は、マウ
ス／トラックパッドでの操作を基本とした
統一感のあるインターフェイスが特徴で
す。アプリケーションごとに操作方法が変
わってしまうといったことがほとんどない
ため、ビギナーでも基本を覚えれば、すぐ
に直感的に使いこなせるようになります。

さらに、長い歴史の中で考案されたジェ
スチャやキーボードを組み合わせた操作
方法を覚えれば、Macをさらに自由自在

に操ることができます。使い込むほどに、
まるで高級な筆記具や手帳のように手に
馴染む感覚を体験できるでしょう。

また、アプリケーションが充実している
のもMacの魅力の一つ。Webブラウザや
メール、メッセージ、PDFビューアといっ
た基本的なアプリケーションは最初から使
えるようになっていますし、Mac App
Storeを使えば、アップルから提供されて
いる表計算やワープロ、ビデオ編集アプリ
まで無料で利用することができます。さら
にこれらのアプリは、iPhoneやiPadと簡
単に連携可能です。

もちろんプロフェッショナル向けのデザ

インやビジネス向けアプリも充実。便利な
フリーソフトも数多くリリースされていま
す。Macは、あらゆるユーザーのニーズ
に応えてくれるでしょう。

あなたにピッタリの Mac活用法を!

スタイリッシュなボディに最新技術が詰
め込まれたMacはきっとあなたの頼もし
い相棒になってくれるはずです。ぜひ、あ
なたのライフスタイルに最適なMacの活
用法を、発見してみてください。

ノート？デスクトップ？…あなたにピッタリのMacはどれ？

現在のMacの ラインナップを おさらいしよう

現在販売されているMacは、6シリーズです。ノート型ではエントリー向けの「MacBook Air」と、「MacBook Pro」があります。一体型デスクトップ型である「iMac」、それに加えディスプレイのない「Mac mini」や「Mac Studio」、ハイエンド機である「Mac Pro」が存在します。これからMacを買う予定の人は、各シリーズの特徴を知り、自分に最適なMacを選びましょう。

（価格は2022年12月現在の
Apple Storeでの税込み価格です）

MacBook Air
シリーズ

最新の「M2」チップを搭載したMacBook Airの新機種が2022年に発売されました。2020年に衝撃的に登場した「M1」の上位モデルに相当するだけあって、処理速度は1.4倍となりながら、バッテリー効率などの良さは前機種同様に優れています。デザインは一新され、カラバリも増え、ディスプレイは少しだけ大きく、またLiquid Retinaディスプレイになるなど、更新された箇所は非常に多い魅力にあふれた機種です。

ただ、2020年発売のMacBook Airも引き続き販売は継続されており、こちらの方がコストパフォーマンスは高いので、初めてMacを買う人には特におすすめの機種といえるでしょう。両機種とも、標準ではメモリが8GBしか搭載されていません。8GBでも一般的な作業には充分対応できますが、動画編集や画像編集、デザイン用途に考えているならメモリは16GB（M2モデルは24GBも可能）にしておくほうが安心です。

MacBook Air M2チップモデル

CPU	M2
メモリ	8GB(最大24GB)
ストレージ	SSD(最大2TB)
ディスプレイ	13.6インチ Liquid Retinaディスプレイ
解像度	2,560×1,664ピクセル
サイズ	W304.1×H11.3×D215mm
重量	1.24kg

8コアCPU 8コアGPU
256GBストレージ
164,800円

NEW!

MacBook Air M1チップモデル

CPU	M1
メモリ	8GB(最大16GB)
ストレージ	SSD(最大2TB)
ディスプレイ	13.3インチ Retinaディスプレイ
解像度	2,560×1,600ピクセル
サイズ	W304.1×H16.1×D212.4mm
重量	1.29kg

8コアCPU 7コアGPU
256GBストレージ
134,800円

▌MacBook Pro
14インチ

CPU	M1 Pro (M1 Maxに変更可能)
メモリ	16GB(最大64GB)
ストレージ	SSD(最大8TB)
ディスプレイ	14.2インチ Liquid Retina XDRディスプレイ
解像度	3,024×1,964ピクセル
サイズ	W312.6×H15.5×D221.2mm
重量	1.6kg

8コアCPU 14コアGPU
512GBストレージ
274,800円

▌MacBook Pro
16インチ

CPU	M1 Pro (M1 Maxに変更可能)
メモリ	16GB(最大64GB)
ストレージ	SSD(最大8TB)
ディスプレイ	16.2インチ Liquid Retina XDRディスプレイ
解像度	3,456×2,234ピクセル
サイズ	W355.7×H16.8×D248.1mm
重量	2.1kg

10コアCPU 16コアGPU
512GBストレージ
338,800円

▌MacBook Pro
13インチ

CPU	M2
メモリ	8GB(最大24GB)
ストレージ	SSD(最大2TB)
ディスプレイ	13.3インチ Retinaディスプレイ
解像度	2,560×1,600ピクセル
サイズ	W304.1×H15.6×D212.4mm
重量	1.4kg

8コアCPU 10コアGPU
256GBストレージ
178,800円

NEW!

MacBook Pro
シリーズ

　MacBook Proには、2021年に発売した14インチ、16インチの2モデルに加え、2022年に発売した13インチモデルが存在します。

　14インチ、16インチの2機種は「M1」チップをさらに高速化した「M1 Pro」(標準)「M1 Max」(上位)チップが搭載されており、まさしくプロ向けの製品といっていい処理能力を誇っています。ポート類も充実しており、MagSafe(電源ポート)、SDカードスロット、HDMIポート、Thunderbolt 4のポートが4つ存在し、極めて使い勝手のよいモデルといえます。ディスプレイは美しいLiquid Retina XDRディスプレイ(ProMotionテクノロジーにより、最大120Hzのリフレッシュレート)であり、スピーカーは低音も堪能できる超高音質、メモリは標準で16GBが実装(最大64GB)され、ストレージも選べる幅が多彩(最大8TB)という、間違いなく最上級のノートPCといえるでしょう。

　一般的な作業のみなら、間違いなく持て余してしまうスペックですが、動画編集や専門業務に使うなら速いに越したことはありません。価格も踏まえて検討する価値は多いにあるでしょう。

　13インチモデルは立ち位置がやや違うMacBook Proです。筐体は2020年発売のM1 MacBook Proとほぼ同じで、チップのみが「M2」にアップデートされたもの、と考えてよいモデルです。キーボードの上部にはTouch Barもあります。筐体に新鮮味はないものの、最新の「M2」チップを搭載しているので処理速度は非常に高速です。またファンを内蔵しているので、M2 MacBook Airより高負荷の作業に強い点もポイントでしょう。スピーカーも2つだけでありながら、とても高音質です。14、16インチモデルのような多彩なポートがないのが残念ですが、確かな実力を秘めた機種であり、充分検討に値するモデルといえるでしょう。

iMac

ディスプレイ一体型のMacで、デスクトップマシンとして動画編集、デザインなど、あらゆる用途に便利に利用できます。「M1」チップの高速な処理速度を、MacBookより遥かに広い超高精細な24インチ・ディスプレイで扱うことができ、価格もかなりリーズナブルです。持ち歩く必要がないならベストな選択でしょう。

Mac mini

2020年に発売されたMac miniは、M1チップが搭載されており、92,800円（税込み）で購入できるコンピュータとしては世界最高峰のコストパフォーマンスを誇る機種といえるでしょう。ディスプレイは既存のものを使用（2台まで接続可能）、キーボード、マウスもあるなら、このminiで超低価格ながら快適なMac環境を手に入れることができます。

Mac Studio

Mac Studioは2022年3月に発表された、超ハイスペックなデスクトップMacで、現在のMacのラインナップで最速のマシンです。Mac miniを縦に延ばしたような筐体に大型のファンを搭載し、排熱を完璧にコントロールします。「M1 Max」「M1 Ultra」のチップの実力を完璧に発揮させることができるでしょう。

Mac Pro

2019年末に発売された、デザインもスペックも価格もモンスターなマシンです。Xeon Wのプロセッサは、8～28コアから選択でき、メモリは最大で1.5TBを搭載できます（24コア以上のプロセッサの場合）。そろそろ新機種が出るだろうと噂されています。

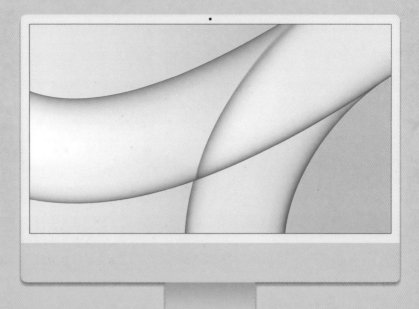

iMac 24インチモデル

CPU	M1
メモリ	8GB(最大16GB)
ストレージ	SSD(最大2TB)
ディスプレイ	24インチ 4.5K Retinaディスプレイ
解像度	4,480×2,520ピクセル
サイズ	W547×H461×D147mm
重量	4.46kg

8コアCPU 7コアGPU
256GBストレージ
174,800円

NEW!

Mac mini

CPU	M1
メモリ	8GB(最大16GB)
ストレージ	SSD(最大2TB)
ディスプレイ	なし
解像度	最大6K(60Hz) のディスプレイ1台と最大4K(60Hz) のディスプレイ1台に対応
サイズ	W197×H36×D197mm
重量	1.2kg

8コアCPU 8コアGPU
256GBストレージ
92,800円

Mac Studio

CPU	M1 Max(M1 Ultraも選択可能)
メモリ	32GB(最大128GB)
ストレージ	SSD(最大8TB)
ディスプレイ	なし
解像度	最大4台のPro Display XDRと1台の4Kディスプレイに対応
サイズ	W197×H95×D197mm
重量	2.7kg

10コアCPU 24コアGPU
256GBストレージ
278,800円

Mac Pro

CPU	Intel Xeon W
メモリ	32GB(最大768GB)
ストレージ	SSD(最大8TB)
ディスプレイ	なし
解像度	最大4台の4Kディスプレイ、1台の5Kディスプレイ、または1台のPro Display XDRに対応
サイズ	W529×H450×D218mm
重量	18kg

3.5GHz 8コアプロセッサ
512GBストレージ
662,800円

1章

Macの超基本

REAL BASICS OF Mac

Macを買ったばかりの人、これから買いたいと思っている人、しばらく前にMacを買っていながらも挫折した人……まずはここから読んで「Mac」というパソコンはどういうものなのか、どんな操作をするのかを理解してください。

Macユーザーなら ぜひマスターしたい

7つの機能!

Macで絶対使うべき便利機能はコレだ!

パソコン初心者でも直感的に使えるのがMacの魅力です。Macには標準でさまざまな便利機能が用意されています。そんな数ある機能のうち、特にマスターしておきたいテクニックを紹介しましょう。

話しかけて さまざまな操作を実行

Siri

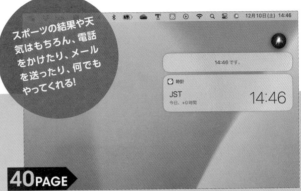

スポーツの結果や天気はもちろん、電話をかけたり、メールを送ったり、何でもやってくれる!

40PAGE

Macに向かって話しかけることで、さまざまな処理が行える音声アシスタント機能です。ためしにSiriアイコンをクリックするか、commandキーとスペースキーを押したままにしてSiriを起動し「いま何時?」と話しかけてみてください。Macが音声で現在時刻を教えてくれます。Siriを使えば、キーボードやマウスを操作することなく情報を調べたり、メモやスケジュールの作成、Macをスリープさせるなど、多くの操作が行えます。

あらゆるデータを 素早く検索

Spotlight

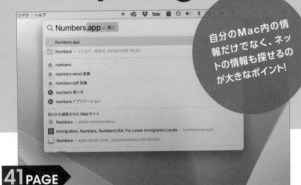

自分のMac内の情報だけでなく、ネットの情報も探せるのが大きなポイント!

41PAGE

Macに保存されているファイルやインターネットの情報を素早く検索できる機能。controlキーとスペースキーを同時に押すと検索ウィンドウが開くので、検索したいキーワード(一部でも可)を入力すれば、瞬時に結果が表示され、直接開くことができます。アプリを素早く探して起動したり、ミュージックアプリを起動することなく聴きたい曲を探して再生するなど、Macの操作を格段に効率化することができます。

デスクトップを 賢く使い分ける

Mission Control

使っていくうちに、デスクトップを何の基準で切替えればベストなのかがわかってくる!

付録 02PAGE

複数のデスクトップ画面を作成し、切り替えながら利用できる機能です。たとえばメールとカレンダー、Safariとメモのように用途ごとにデスクトップを使い分ければ、作業効率もアップ。特に画面スペースの狭いMacBookでは必須のテクニックでしょう。Mission Controlは、controlキーを押しながら上矢印キーで起動し、デスクトップの管理が行えます。またデスクトップの切り替えは、control+左右の矢印キーで素早く行うことができます。

ファイルの確認が
とても快適になった!

Finder

4つの表示方法とクイックルックを使いこなせばファイルはすぐ探し出せる!

28PAGE

MacのFinderはとてもカンタンにファイルの選択、管理ができます。目的に応じてアイコン表示、リスト表示、カラム表示、ギャラリー表示を切り替えてファイルを操作できます。また、複数のタブで管理できるため、大量のファイルも処理しやすくなっています。特定のファイルを選択した状態でスペースキーを押せばクイックルックが起動し、さらに大きく表示されます。その状態からファイルのマークアップ(編集)も可能です。

ジェスチャでMacを
自由自在に操作

トラックパッド

超多機能なのに、身体になじむコントロール感で自然に身につけられる!

16PAGE

MacBook内蔵のトラックパッドの機能は、単にマウスポインタを操作するだけではありません。複数の指で操作するマルチタッチジェスチャーに対応しており、Macのさまざまな操作を素早く実行できます。たとえばSafariでの「戻る／進む」や、デスクトップの切り替え、マップや写真の「拡大／縮小／回転」などの操作が快適になります。同様のジェスチャはiMac付属のMagic Mouseや別売のMagic Trackpadでも行うことができます。

iPhoneやMacと
無料通話できる

FaceTimeと
メッセージ

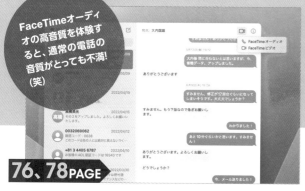

FaceTimeオーディオの高音質を体験すると、通常の電話の音質がとっても不満!(笑)

76、78PAGE

Apple IDを取得すれば、Mac同士やiPhone、iPad、iPod touchユーザーと簡単にコミュニケーションできます。FaceTimeでは無料のビデオ／音声通話が、メッセージではテキストメッセージやファイルのやりとりが楽しめます。面倒な設定は一切不要。アプリにApple IDを登録したら、あとは相手のApple ID(iPhoneなら電話番号でもOK)を指定するだけで、Macから電話をかけたりメッセージを送信できます。

MacとiPhone、
iPadを連携

iCloud

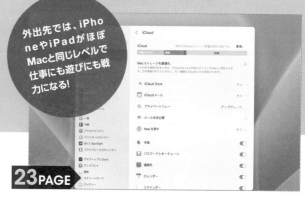

外出先では、iPhoneやiPadがほぼMacと同じレベルで仕事にも遊びにも戦力になる!

23PAGE

iCloudは、アップルが提供するクラウドサービスです。Apple IDを取得すると、無料で5GBの容量とメールアドレスがもらえ、連絡先やカレンダーなどの個人データやファイルをネット上に同期できます。iPhoneやiPadを使えば、iCloudを経由して個人データやSafariのブックマークなどを同期したり、クリップボードの同期など多彩で便利な連携機能が利用可能です。iPhone、iPadユーザーはぜひ活用しましょう。

Mac本体の機能とポート類をチェックしよう

ポートの数と拡張性はモデルによってバラバラ！

Macには一般ユーザー向けとして、デスクトップ型のiMac、Mac miniシリーズとノートパソコン型のMacBookシリーズが提供されています。ともに内蔵アプリケーションやOSは同じですが、本体にあるポート類や付属アクセサリにおいて大きな違いがあります。

iMacは、2021年の24インチモデルでデザインが一新され、それまでの拡張性の高い仕様から、シンプルなUSB 4（Thunderbolt 3）ポートを備えるのみとなりました（下位モデルの場合）。キーボード、マウスは付属しています。Mac miniは、USB 4（Thunderbolt 3）ポート、HDMIポート、USB-Aポート、Ethernetポートなどが装備されており、低価格の割には拡張性があります。

MacBookシリーズは、ポート類が充実しており拡張性の高い2021年のMacBook Proシリーズと、それ以外に分けられます。2021年のMacBook Proシリーズ（14、16インチモデル）は重量が重いものの、SDXCカードスロット、HDMIポート、MagSafeポート、3つのThunderbolt 4ポートと、非常に充実しています。対して、13インチのMacBook Air、ProはThunderbolt 3ポートが2つあるだけとなっていますが、非常に軽量です。

iMacシリーズの外観を見てみよう

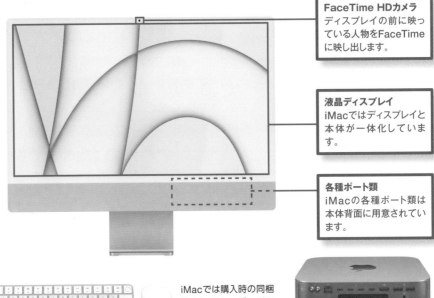

FaceTime HDカメラ
ディスプレイの前に映っている人物をFaceTimeに映し出します。

液晶ディスプレイ
iMacではディスプレイと本体が一体化しています。

各種ポート類
iMacの各種ポート類は本体背面に用意されています。

iMacでは購入時の同梱物としてキーボードにMagic Keyboard、マウスにMagic Mouse2が装備されています。

Mac miniは、電源、USB、HDMI、ヘッドフォン端子などがすべて背面に装備されています。

MacBookシリーズの外観を見てみよう

FaceTime HDカメラ
ディスプレイの前に映っている人物をFaceTimeに映し出します。

液晶ディスプレイ
MacBookもディスプレイ部分はiMacとほぼ同じです。ディスプレイと本体が一体化しています。

電源ボタン
MacBookの電源ボタンはキーボード右上にあります。

各種ポート類
MacBookの各種ポート類はキーボード側面部に用意されていますが。

トラックパッド
MacBookにはマウスが同梱されていない代わりにトラックパッドが用意されています。この上で指をなぞったり、押したりすることでマウスと同じ操作ができます。

高速で通信できる Thunderboltに要注意！

　Mac本体にはさまざまな形状のポートがありますが、ポイントになるのはThunderboltポートの存在でしょう。これはインテルとAppleが開発した高速通信規格「Thunderbolt」を活用するためのポートで、USB-Aよりも多機能、高性能なものです。充電もできれば、映像出力も可能、もちろんデータ転送も可能と、多くの目的に利用できます。

　Mac miniや旧型iMac、最新のMacBook ProにはUSB-C以外にも、SDXCカードスロット、USB-AやHDMIなど、さまざまな種類のポートがたくさん搭載されているので問題はないですが、注意したいのは2016～2022年の13インチMacBook Pro、Airのユーザーです。一般的なUSB-Aポートが1つもなく、データ転送用ポートはUSB-Cタイプのみです。そのため、従来のUSB-Aタイプの外付けの周辺機器はそのままでは利用できず、別途変換コネクタを用意する必要があります。

Mac miniのポートをチェック

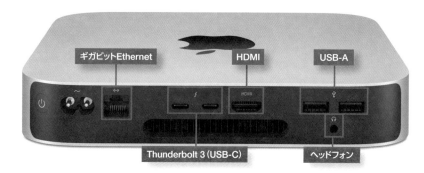

MacBook Pro 14インチ、16インチモデルのポートをチェック

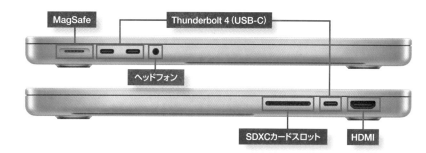

2021年のMacBook Proには、SDXCカードスロット、HDMIポート、MagSafeポート、3つのThunderbolt 4ポートが備わっています。

13インチMacBook Pro（2016～2022）のポートをチェック

この時期の13インチのPro、Air、無印MacBookはUSB-Cポートが1～2個あるだけです。

ここが ポイント

MacBookで周辺機器を快適に使うには？

2016～2020年のMacBook Air、MacBook Proの充電は、付属のACアダプタとUSB-Cケーブルを利用します。USB-Cポートが2つしかない機種では、多くのUSB機器を利用したい場合が多いならばUSB-Cハブを用意しておくと便利です。HDMIやUSB-A、SDカードなどを快適に利用できるようになります。写真の製品は「Satechi製のマルチUSB-Cハブ」（実勢価格:8,000円）です。

Macの気になるガジェット

Apple Touch ID対応 Magic Keyboard
価格:19,800円（Apple Store）

24インチiMacと同時に登場したApple純正のキーボードでTouch IDが利用でき、コンパクトサイズで打鍵感も好評な使いやすいキーボードです。iPadに接続して使うこともできます。

Belikin USB-Cハブ ドッキングステーション
価格:19,600円（Amazon）

2020年に発売されたM1のMacBook Air、Proは低価格ですが、外部ディスプレイが1台しか接続できないのが欠点。この周辺機器を使えば、1080p表示ですが2台のディスプレイを接続できます。

サンワダイレクト トラックパッド Mac Windows対応
価格:5,480円（Amazon）

有線接続で安価にトラックパッドとして利用できるツール。Apple純正のMagic TrackPadのようなスムーズ感はないものの、左手用に置くなどサブ的な利用法には便利です。

Macの起動と終了方法を理解する

起動は電源ボタンを押す 終了はアップルメニューから

Macを起動するにはiMacやMac miniなどのデスクトップ機であれば本体背面にある電源ボタンを押します。またMacBookの場合はキーボード上にある電源ボタンを押します。Macを初めて起動すると初期設定画面が表示されますが、ここではキーボードやマウスを操作できるようにしておく必要があります。iMacに同梱されているMagic MouseとMagic Keyboardは、ともにBluetoothによるワイヤレス接続になっており、側面にあるスイッチを有効にすることで、自動的にiMacに接続して操作できるようになります。

初期設定で設定する項目は、Wi-Fi設定やApple ID設定など重要なものも多いですが、あとからでも設定は可能です。なお、Windowsのデータを移行したい場合は、初期設定画面で表示される「移行アシスタント」（3章で詳細解説）を使ってデータの移行を行うとよいでしょう。

Macを終了する場合は、デスクトップ左上にあるアップルメニューを開き「システム終了」を選択しましょう。ほかにWindowsの終了メニューと同じく「再起動」や「スリープ」も用意されています。またフリーズなど、なんらかの形でMacの終了ができなくなった場合は、電源ボタンを押し続けることで強制終了することができます。

Macの電源を入れてみよう

iMacやMac miniなどので電源を入れるには、本体背面にある電源ボタンを押します。

MacBookで電源を入れるには、キーボード右上端にある電源ボタンを押します。

Magic MouseとMagic Keyboardを使えるようにする

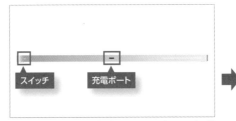
Magic Keyboardは側面部にスイッチがあります。動かして緑色にすると有効になります。なお真ん中にあるポートで付属のUSB-C - LightningケーブルとMacをつないで充電できます。

Magic Mouseは裏面にスイッチが用意されているので有効にしましょう。なおMagic Mouseも充電式で裏にあるポートに付属のLightningケーブルとMacをつないで充電します。

Macを終了させる

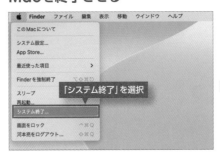
Macを終了させるには、左上にあるアップルメニューを開いて、「システム終了」をクリックします。

そのまま何も操作をしないと60秒後にMacが終了します。「キャンセル」を押せば終了をキャンセルできます。

Macを強制終了する

Macを強制的に終了したい場合は、電源ボタンをしばらく押し続けましょう。しばらくすると電源がオフになります。

CHECK!!
再起動時に前のアプリを起動させないようにする
「再ログイン時にウインドウを再度開く」にチェックを入れると、再起動時に終了前に開いていたアプリのウインドウが自動で起動します。起動させたくない場合はチェックを外しましょう。

Macのパスワードを設定する

Macは初めて起動したときのセットアップ画面でログインパスワードの設定を行います。このパスワードはスリープからログインしたときに現れる画面で、外部の人が勝手にMacに触れないようにするためのものです。定期的にパスワード変更をして、セキュリティを高めましょう。

1 システム設定をクリック

デスクトップ左上のアップルメニューを開き「システム設定」をクリックします。

2 「ログインパスワード」を開く

メニューから「ログインパスワード」をクリック。「このユーザのログインパスワードが設定されています」横の「変更」をクリックします。

3 変更後のパスワードを設定する

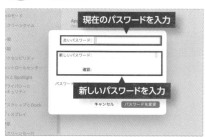

パスワード再設定画面が表示されるので、現在のパスワード、新しいパスワード、パスワードのヒントなどを入力して「パスワードを変更」をクリックしましょう。

4 変更後のパスワードを入力する

起動時やスリープ画面から戻ると表示されるログイン画面で新しく設定したパスワードを入力しましょう。

CHECK!!

自宅で1人で使っているなら自動ログイン設定に

デスクトップMacのユーザーで自宅で1人しかPCを使っておらず、セキュリティに危険を感じないならログイン画面をなくすのもよいでしょう。設定画面「ロック画面」で「スクリーンセーバの開始後〜」を「しない」にしましょう。

！ここがポイント

Apple Watchでロックを解除する

Apple Watchを持っていれば、Apple Watchを装着した手を近づけるだけで、Macのロックを自動で解除してログインすることができます。「ログインパスワード」の画面で「使用しているApple Watch」にチェックを入れるだけです。なお事前にApple Watch側でパスコードを設定しておく必要があります。

Macの各種設定を変更するシステム設定パネル

デスクトップ左上端にあるアップルメニューから「システム設定」をクリックして現れるパネルは、Windowsでのコントロールパネル、iPhone/iPadでは設定アプリに相当する重要な場所です。macOSの設定に関する変更を行う場合の大半はこのパネルからアクセスすることになるので、必ず覚えておきましょう。

1 システム設定を開く

システム設定を開くには、Dock上にある設定アイコンをクリックするか、左上端にあるアップルメニューを開いて「システム設定」を選択します。

2 システム設定画面をチェック

さまざまなアイコンが並んでいます。マウスやキーボード、ディスプレイ、ネットワークなどmacOSの各種カスタマイズはすべてこの画面から各設定画面にアクセスします。

トラックパッドやマウスの操作を覚えよう

マウスかトラックパッドの二通りの操作方がある

　MacBookにはキーボードの下にトラックパッドと呼ばれる数センチ四方のスペースが用意されています。このパッドを指でなぞるとマウスポインターが動き、指で軽く叩くとクリック操作、2度連続で叩くとダブルクリック操作となります。マウス操作と同じことができるのですが、マウスにくらべてスペースを必要としないのがメリットで、喫茶店やファーストフードなど外出先でMacを操作するときに非常に役立ちます。トラックパッドで、以下で紹介しているような多彩な操作が用意されています。使いこなせるとMac操作が快適になります。

　トラックパッドはiMacには搭載されていませんが、別売りのMagic Trackpadを購入することでトラックパッド操作が可能となります。

ノート型Macには標準で搭載されている

とても使いやすく、初めての人でもすぐに慣れるでしょう!

MacBook Pro、MacBook Airなどのノート型Macは標準でキーボード下にトラックパッドが用意されています。

iMac、Mac mini ユーザーはMagic Trackpadを使おう!

値段は安くありませんが、マウスと違った快適さがあります。

iMacにはキーボードにトラックパッドが付属していません。マウスに加えて、トラックパッドも利用するには別売りのMagic Trackpadを購入する必要があります。
■スペック
名前:Magic Trackpadホワイト（Multi-Touch対応）
販売:Apple,inc
価格:16,800円 (税込)

トラックパッドの基本的な操作を知ろう

1 カーソルを動かす

トラックパッド上で指をなぞるとカーソルも同じ方向へ動きます。

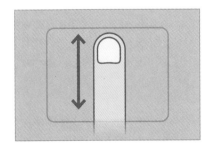

2 クリック

一本指でトラックパッドを押すとクリックできます。「カチッ」と音がするまでトラックパッドを押しましょう。

3 右クリック

二本指でトラックパッドを押すと右クリックになります。「カチッ」と音がするまでトラックパッドを押します。

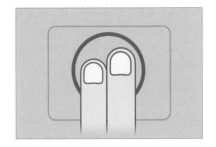

トラックパッド操作を使いやすくカスタマイズする

トラックパッド上で右クリックするには、二本指でクリックすればよいですが、使いづらいならカスタマイズしましょう。Windowsのマウス操作と同じく、トラックパッドの右下隅を右クリックボタンに変更することができます。

1 システム設定からトラックパッドを開く

クリック

トラックパッドの設定を変更するには、アップルメニューから「システム設定」へ進み、「トラックパッド」をクリックします。

2 副ボタンのクリックの設定を変更する

「右下隅をクリック」を指定する

「ポイントとクリック」を開きます。右クリックをトラックパッド右下を押す設定に変更したい場合は、「副ボタンのクリック」で「右下隅をクリック」に変更しましょう。

3 クリック操作をタップ操作に変更する

チェックを入れるとタップでクリック操作に変更する

トラックパッドでのクリックは「カチッ」っと音がするまで強めに押す必要がありますが、「タップでクリック」にチェックを入れると、軽く触れただけでクリックができるようになります。軽い力で操作できるので、こちらがオススメです。

4 カーソルの速度を変更する

トラックパッド使用時のカーソルの速度を変更したい場合は、「軌跡の速さ」のスライドバーを左右に動かして調整しましょう。

！ここがポイント

スクロールの方向を変更する

Macのトラックパッドで上下にスクロールすると、Windows操作と異なり逆方向にスクロールしてしまいます。このスクロールの方向はトラックパッドの設定画面から変更することができます。「システム設定」から「トラックパッド」→「スクロールとズーム」へ進み、「ナチュラルなスクロール」のチェックを外しましょう。

チェックを外す

---

④ スマートズーム

2本指でトラックパッドを軽く連続でタップするとスマートズームになります。ウェブページやPDFで拡大縮小するときに利用します。

⑤ スクロール

二本指でトラックパッド上を上下にスライドするとスクロールできます。ウェブページを上下にスクロールするときに利用します。

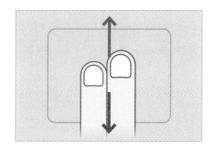

⑥ 拡大・縮小

二本指を内から外へピンチで広げると拡大です。二本指を外から内へピンチで狭めると縮小できます。

Macの超基本

Macならではの
トラックパッド操作

前ページで紹介した基本的なトラックパッド操作以外に、キーボードのショートカットや特殊キーのようにMacの操作を効率化するさまざまな操作が用意されています。頻繁にウインドウ操作やウェブサーフィンを行うユーザーは覚えておいて損はないでしょう。

1 ページを戻る・進む

ブラウザ上で左右にスワイプ

ウェブページを表示中に2本指で左右にスワイプすると、前のページに戻ったり次のページに進んだりできます。

2 デスクトップを移動する

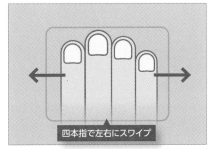

四本指で左右にスワイプ

四本指で左右にスワイプすることで仮想デスクトップ（付録26ページ参照）を移動できます。トラックパッドの設定から三本指に変えることも可能です。

3 デスクトップを表示する

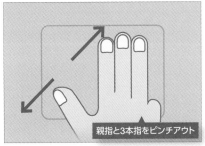

親指と3本指をピンチアウト

親指と3本指をピンチアウトのように広げると、デスクトップが表示されます。

4 Launchpadを表示する

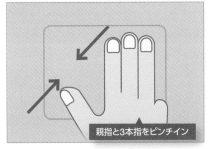

親指と3本指をピンチイン

親指と3本指をピンチインのように狭めると、Launchpad（付録36ページ参照）が表示されます。

5 調べる＆データ検出

単語を3本指でタップ

3本指で単語をタップすると単語を検索できます。また日付をタップするとその日付でカレンダーの予定を新規作成できます。

ここがポイント

3本指でドラッグ操作を行えるようにする

Macの初期設定では3本指を使ったドラッグ操作がオフになっています。有効にするには「システム設定」→「アクセシビリティ」→「ポインタコントロール」→「トラックパッドオプション」と進み「ドラッグにトラックパッドを使用」にチェックを入れ「3本指のドラッグ」を指定しましょう。

トラックパッドでドラッグ＆ドロップするには

❶ ドラッグ対象のファイルを指で長押しする

トラックパッドでのドラッグ操作は指を長押しします。ドラッグしたいファイルを親指もしくは人差し指などで長押しした状態にします。

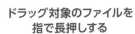

ファイルを長押しする

❷ 長押ししたままの状態で指を動かす

長押ししたままの状態でドラッグしたい方向へなぞります。するとファイルがドラッグできます。

長押ししたまま動かす

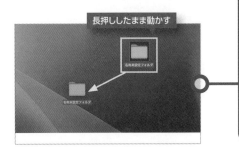

CHECK!! 複数のファイルを選択した状態にするには？

トラックパッドで複数のファイルを範囲選択する場合は、範囲選択の開始点を親指で長押しした状態で、人差し指で範囲選択したい方向にドラッグしましょう。

iMacに付属している Magic Mouseの使い方

iMacでは購入時にMagic Mouseというマウスが付属していますが、Windowsのマウスと形状が異なりボタンが一切存在していません。使い方はトラックパッドとほぼ同じです。使いづらい場合はWindowsマウス用にカスタマイズしましょう。

1 システム設定から 「マウス」を選択する

Magic Mouseをはじめマウスの設定のカスタマイズは、「システム設定」画面の「マウス」から行えます。

2 マウスの右側を 右クリックに設定する

「ポイントとクリック」タブを開き、「副ボタンのクリック」にチェックを入れ、プルダウンメニューで「右側をクリック」にチェックを入れましょう。

3 マウスのカーソルの 速度を変更する

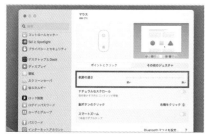

この画面では「軌跡の速さ」のスライドバーを左右に動かすことで、マウスカーソルの速度を調節することができます。

4 スクロールの方向を 反対にする

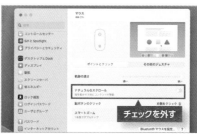

マウスのスクロール方向は標準ではWindowsと逆になっています。「ナチュラルなスクロール」のチェックを外すと、Windowsと同じ方向にスクロールするようになります。

CHECK!!

Windowsの右クリックメニューは Macにはもともと存在しない

Windowsでは当たり前の「右クリックメニュー」は、元々標準マウスのボタンが1つしかなかったMacには存在しない操作でした。後になって、Windowsの右クリックメニューに相当する操作として「副ボタン」という操作が用意されました。

! ここが ● ポイント

普通のUSBマウスを使うときも 設定を変更しよう

通常のマウスもUSB接続で利用することができます。その場合は副ボタンの設定変更をする必要なく、Windowsと同じように右クリックメニューが標準で利用できます。ただし、中央カーソルのスクロール方向は逆向きになっているのでマウスの設定画面を開いて「ナチュラルなスクロール」のチェックを外しておくと使いやすくなります。

Magic Mouseの基本的なマウスジェスチャ

① スクロール

Magic Mouseには通常のマウスのように中央にホイールがありませんが、一本指を上下にスライドさせるとスクロールできます。

一本指で上下にスライド

② スマートズーム

1本指でダブルタップするとウェブページやPDFの拡大縮小ができます。

一本指でダブルタップ

③ Mission Control を起動する

2本指でダブルタップするとMission Control (付録2ページ参照) を開くことができます。

二本指でダブルタップ

Macをインターネットに接続して使う

Wi-Fiでの接続が基本だが iMacなら有線接続もできる

Macでインターネットを行うには一般的にWi-Fi（無線LAN）を利用します。現行のMacBookシリーズはEthernetポートがないため、Wi-Fiでのインターネット接続が基本になります。接続するにはデスクトップ右上のメニューバーにあるWi-Fiアイコンをクリックしましょう。接続可能な周囲のWi-Fiネットワークを一覧表示してくれるので、あとは適切なネットワークを選択して、ログインパスワードを入力するだけです。

なお、iMacやMac miniの場合はWi-Fi接続に加えて、本体背面に用意されたEthernetポートを使って有線LANでのインターネットもできます。そのままケーブルを差し込むだけで、たいていは利用できますが、環境によってはプロバイダへの接続設定をMac上で行う場合もあります。

Wi-Fi(無線LAN)でインターネットを行う

Wi-Fiで接続するにはメニューバー上にあるWi-Fiアイコンをクリックして接続先を選択しましょう。MacBookシリーズではWi-Fiでの接続が必須となります。

有線LANでインターネットを行う

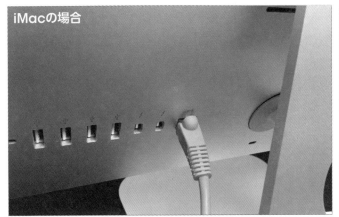

iMacの場合

Mac miniの場合

iMacやMac miniにはWi-Fi接続のほかに、本体背面にあるEthernetポートにLANケーブルを差し込むことでインターネットが行なえます。

MacでWi-Fi接続してインターネットをしてみよう

① メニューバーにあるWi-Fiアイコンをクリック

デスクトップ右上にあるメニューバーにあるWi-Fiアイコンをクリックして、Wi-Fiをオンにします。

クリックしてオンにする

② 接続先ポイントをクリックする

既に設定してある接続先があれば、優先的に接続されます。そうでない場合は「ほかのネットワーク」を開いて接続したい接続先をクリックしましょう。

優先的に接続される

違う接続先を選ぶ

③ ログインパスワードを入力する

新たな接続先につなぐにはパスワードが必要です。ログインパスワードを正しく入力しましょう。パスワードを記憶させることもできます。

パスワードを入力する

LANケーブルで接続して インターネットを行う

ルーターを介してネットワークに接続する場合は、LANケーブルをEthernetポートに挿入するだけで基本的によいのですが、プロバイダーへの接続でPPPoEを利用する場合は「ネットワーク」画面で設定する必要があります。

1 システム設定の ネットワークを開く

LANケーブルを接続したら、「システム設定」の「ネットワーク」を開きます。「Ethernet」が「接続済み」になっていればインターネットがそのままできます。

2 PPPoEサービスを 作成する

「サービスを追加」を選択

直接プロバイダーに接続する場合は、「ネットワーク」画面右下にあるプルダウンメニューを開き、「サービスを追加」を選択します。

3 サービス名を 入力する

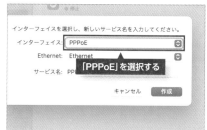

「PPPoE」を選択する

「インターフェイス」から「PPPoE」を選択します。サービス名はプロバイダ名などわかりやすい名前をつけておきましょう。

4 ネットワーク画面に 戻る

作成した設定をクリック

「ネットワーク」画面に戻ると、「その他のサービス」に作成した設定が追加されるのでクリックします。

5 プロバイダー情報を 入力する

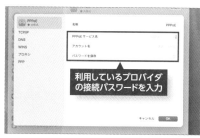

利用しているプロバイダの接続パスワードを入力

「PPPoEサービス名」にプロバイダ名、アカウント名にプロバイダの接続ID、「パスワード」にチェックを入れ、接続パスワードを入力しましょう。

！ここが ● ポイント

Wi-FiルータにMac アドレスを登録している場合は

無線LANルータにフィルタリングを設定している場合は、Macのアドレスを無線LANルータに登録しておく必要があります。「システム設定」から「ネットワーク」を開いて「Wi-Fi」を開き、「詳細設定」をクリックします。Wi-Fi Macアドレスに「Wi-Fiアドレス」が表示されるので、このアドレスをメモしてルータに設定しましょう。

---

④

Wi-Fi接続を 確認する

Wi-Fiの接続がうまくいけば、このようなWi-Fiアイコンになります。接続中の場合はアイコンがアニメーション的な動きをします。

⑤

接続先を変更する

複数のWi-Fiアクセスポイントを使っている場合、「システム設定」→「ネットワーク」→「Wi-Fi」と進み、接続先のアドレス横の「接続」をクリックしましょう。

「接続」をクリック

⑥

ネットワークを削除する

余計なネットワークを削除したい場合は、接続先横のメニューボタンをクリックして「このネットワーク設定を削除」をクリックしましょう。

クリック

Macやアップル製品に登録する Apple IDとは

Apple製品を楽しむのに欠かせない個人アカウント

Apple IDはアップル製品やサービスを利用するのに欠かせない個人アカウントです。取得すればMac App Storeからアプリをダウンロードしたり、音楽や映画などのコンテンツがダウンロードできるようになります。

Apple IDは無料で誰でも作成できますが、iPhoneやiPadで利用するApple IDと共用するアカウントのため、すでに取得しているのであれば、新規作成する必要はありません。Apple IDは基本的に1人1アカウントになっていますので、現在利用しているアカウントがあればMacに登録しておきましょう。

また、iPhoneやiPadでApple IDを共用することでiCloudが利用できるようになり、写真、メール、連絡先、カレンダー、SafariのブックマークなどさまざまなデータをMacとiPhone/iPadで同期できるようになります。

セキュリティ面でもApple IDは重要な情報になります。MacBookやiPhoneが盗難されたときでも、iCloud経由でApple IDが登録されたデバイスを探す「探す」アプリを利用したり、同じApple IDで紐付けられた複数のデバイスで個人認証を行う「2ファクタ認証」で個人情報を保護することができます。

Apple IDを取得してできること

① 「Apple ID」をクリック
② 「Apple IDを作成」をクリック

Apple IDは「システム設定」の「Apple ID」画面から無料で作成できます。

iCloudサービスが利用できる

iCloudを利用してほかのアップル製品と各種データを同期できるようになります。

セキュリティが強化

MacBookやアップルデバイスが盗難が盗難された場合は、「探す」アプリを利用してApple IDが登録されたデバイスを探すことができます。

Appleコンテンツが購入できる

Mac App Storeや各アプリからアプリ、音楽、映画などのコンテンツが購入できます。有料コンテンツの場合は別途クレジットカードやiTunesカードの登録が必要になります。

アプリのIDとして利用する

Apple IDは、そのままFaceTimeやメッセージなどApple製アプリのIDになることも多いです。アプリ用にIDを作成する必要がありません。

Apple IDを共有できるデバイスとは

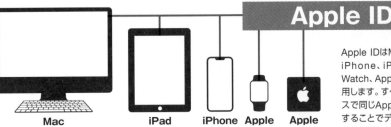

Apple ID

Mac　iPad　iPhone　Apple Watch　Apple TV

Apple IDはMacのほかにiPhone、iPad、Apple Watch、Apple TVでも利用します。すべてのデバイスで同じApple IDを利用することでデータを同期・共有することができます。

iCloudで同期できる データとは

　iCloudはAppleのクラウドサービスです。MacをはじめあらゆるApple製品で利用でき、Apple IDを通じてiCloud上のデータを同期することができます。iPhoneで撮影した写真をMacで同期したり、逆にMac上にある写真をiPhoneで同期できるなど使いこなせばこの上なく便利になります。

iCloudのしくみ

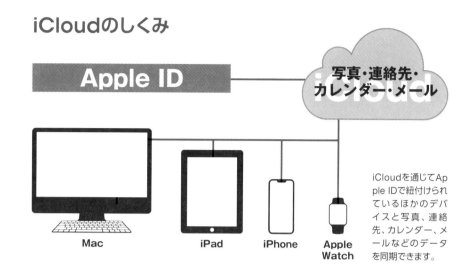

iCloudを通じてApple IDで紐付けられているほかのデバイスと写真、連絡先、カレンダー、メールなどのデータを同期できます。

iPhoneで撮影した写真を Macで閲覧する

iPhoneの「写真」に保存されている写真をiCloudを通じてインターネット経由でMacでダウンロードできます。Lightningケーブルを使ってデバイスを接続する手間が省けます（84ページ参照）。

パソコン上のファイルを iPhone/iPadで閲覧する

iCloudの機能の1つ「iCloud Drive」を利用すればMac上にあるあらゆるファイルをiPhoneやiPadで閲覧できるようになります。

ブラウザ上から同期 データにアクセスもできる

iCloud上にあるデータの一部は「iCloud.com」にアクセスすることでブラウザからも利用できます。つまり、Windowsパソコンから写真やメールなど一部データを利用することが可能になります。

ここが ポイント

Apple IDのパスワードを 忘れてしまった場合は？

　Apple IDを忘れてサービスが使えなくなった場合は、まずApple IDのサイトにアクセスして「Apple IDまたはパスワードをお忘れですか?」をクリックします。その後の手順に従って、初期設定で登録した自分の姓名やメールアドレスを入力すれば自分の利用しているApple IDを表示してくれます。パスワードを忘れた場合も同じ手順を踏みます。

Apple IDを取得しよう

❶ アプリ上から 作成する

Apple IDはMacのさまざまなアプリで現れるApple IDログイン画面から作成できます。システム設定画面の「Apple ID」画面では「Apple IDを作成」をクリックします。

「Apple IDを作成」をクリック

❷ 名前とApple IDに利用する メールアドレスを入力する

Apple ID作成画面が起動します。名前とメールアドレス、パスワードを設定しましょう。設定するメールアドレスがそのままApple IDとなります。

❸ Apple IDで iCloudにログイン

取得したApple IDと設定したパスワードでiCloudにログインしましょう。名前の下に表示されるメールアドレスがApple IDとなります。

Windowsで使っていた HDDはMacで使える?

基本的には差し込むだけで 問題なく使えます

Windowsで利用していた周辺機器は、そのままMacでも利用することができます。キーボードやマウスなどは、もともとWindowsとMac両対応のものが多く、ほとんどがポートに接続するだけで使用できます。ただし、一部の周辺機器はMac専用のドライバが必要な場合がありますが、メーカーの公式サイトから多くは無料でダウンロードできます。

注意したいのは外付けハードディスクやUSBメモリなどです。ほとんどはそのままデータを読み書き可能ですが、ストレージのフォーマット形式がNTFSだった場合は、読み込みはできますが書き込みができません。MacでおすすめのフォーマットはHFS+ですが、もしWindowsと共用する場合は「MS-DOS(FAT)」がおすすめです。

ハードディスクのフォーマットの種類

	Mac	Windows	説明
APFS	読み△ El Capitan以前は読み込めない 書き△ El Capitan以前は書き込めない	読み×、書き×	HFS+の問題を解決することを目的とした新しい標準フォーマットシステム。High Sierra以降で利用できる。
HFS+ (Mac OS拡張フォーマット)	読み○、書き○	読み×、書き×	Macの標準フォーマットシステム。Macのみ利用できる。デフラグの必要性がない。
MS-DOS(FAT)	読み○、書き○	読み○、書き○	MacでもWindowsでも読み書き可能な汎用性の高いフォーマットシステム。
NTFS	読み○、書き×	読み○、書き○	Windows標準フォーマットシステム。Mac OS Xでは書込ができない。
exFAT	読み○、書き○	読み○、書き○	MacでもWindowsでも読み書き可能なフォーマット。ただしファイルへのアクセス権の設定ができない。

Macではすべてのハードディスクフォーマットの読み込みが原則的には可能です。しかし、NTFSフォーマットの場合は書き込みができません。

Macの新しいフォーマット形式「APFS」に注意しよう

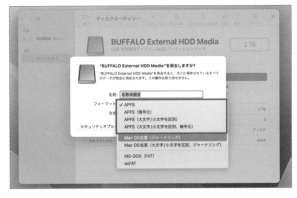

Macの標準フォーマットはこれまでずっと「HFS+(Mac OS拡張フォーマット)」形式でしたが、2017年にリリースされたmacOS High Sierraから、新たに「APFS」というフォーマットが追加されています。HFS+を拡張したフォーマットで処理速度や暗号化能力が高いのが特徴です。ただし汎用性は低く、APFSでフォーマットされたUSBデバイスはWindowsだけでなく、El Capitan以前のMacOSでも読み込むことができません。

Macで外付けハードディスクをフォーマットする

① ディスクユーティリティを開く

外付けディスクをMacに接続したら、アプリケーションフォルダから「ユーティリティ」を開き「ディスクユーティリティ」を開きます。外付けディスクを選択しましょう。

外付けディスクを選択

② MacOS拡張でフォーマット

メニューから「消去」を選択します。フォーマット確認画面が表示されます。フォーマットで「Mac OS拡張(ジャーナリング)」を選択して「消去」でフォーマット開始です。

「Mac OS拡張(ジャーナリング)」を選択

「消去」をクリック

③ Windowsでも読み込める形式にするには

WindowsでもMacでも読み書き可能なフォーマットにする場合は「MS-DOS(FAT)」を指定してフォーマットにするのがおすすめです。

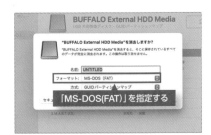

「MS-DOS(FAT)」を指定する

2章

Macの基本操作を
マスターする

Mac BASIC GUIDE

Finderの使い方や文字入力、アプリの起動方法やインストール方法……その辺りの知識をこの章で一通り理解できれば、ある程度はMacを操作できるようになるでしょう。この章の記事は、Mac操作の核となるものが多いのでしっかりと理解しましょう。

Macで作成したデータを保存・管理するには？

デスクトップとFinderであらゆるデータを整理する

作成したファイルやダウンロードしたファイルは、デスクトップに保存すればあとですぐに開けて便利です。デスクトップ上に保存したファイルはドラッグ＆ドロップで自由に場所を移動することができます。Windowsのデスクトップと操作感はほぼ同じです。右クリックメニューから壁紙の変更もできます。ただ、デスクトップばかりに保存しておくと、散らかって使いづらくもなります。デスクトップと並行して「Finder」を使いこなしましょう。

FinderはWindowsの「エクスプローラ」に相当するアプリで、ファイルの整理に欠かせないものです。「書類」「ダウンロード」などあらかじめさまざまなフォルダが用意されており、内容ごとにファイル分類できます。また、自分で新たにフォルダを作成することもできます。

ファイル整理は「デスクトップ」と「Finder」を使いこなしましょう

デスクトップに保存する

クリックするとファイルが開く

ファイルはドラッグで自由に場所を移動できる

Macのデスクトップにデータを保存すると、画面右上端から左下に向かってファイルが並んでいきます。すぐにアクセスできるため非常に便利です。

Finderに保存する

サイドバーにフォルダの種類が表示される

クリックしてFinderを起動する

FinderはDock一番左にあるFinderアイコンをクリックすると起動します。あらかじめいくつかフォルダが用意されていますが、自分で新たにフォルダを作成することもできます。

Finderを使ってファイルやフォルダを整理してみよう

❶ Finderの各フォルダにはメニューバーの「移動」から

Finder内の各フォルダにアクセスするには、Finder内を直接進んでいくのもよいですが、デスクトップ上部にあるメニューバーの「移動」からアクセスもできます。

「移動」をクリックしてアクセスしたい場所を選択する

❷ ダウンロードしたファイルは「ダウンロード」フォルダにある

初期設定ではウェブ上からダウンロードしたファイルはFinderの「ダウンロード」フォルダに保存されます。なおダウンロード先は保存先選択画面で自由に変更できます。

❸ 「ホーム」フォルダはFinderのトップページ

メニューバーの「移動」から「ホーム」を選択すると、「パブリック」「ピクチャ」「ミュージック」などさまざまな種類のフォルダが現れます。ここはFinderのトップページのようなものです。

データを保存する際は名前やフォルダを設定する

ウェブ上からデータを保存する場合は、保存先フォルダを選択しましょう。分かりやすいように名称を変更しておくのもよいでしょう。Macの各種アプリで作成した新規書類を閉じるときも同じく、保存先フォルダを指定するほかに、ファイルに名称を付けましょう。

1 ウェブ上のデータをダウンロードする

①プルダウンメニューを開く
②保存先フォルダを指定する

ウェブ上のコンテンツを保存する際には、保存ダイアログが現れます。標準は「ダウンロード」に設定されていますが、「場所」のプルダウンメニューから保存先を変更できます。

保存先フォルダの選択肢を増やす

保存ダイアログ画面でファイル名横にあるプルダウンメニューボタンをクリックすると、オプションメニューが表示されます。標準設定では指定できない階層の深いフォルダを指定できます。

2 Macアプリで作成したデータを保存する

ファイル名を入力する
保存先フォルダを指定する

アプリの新規書類作成画面で「閉じる」ボタンをクリックすると保存ダイアログが表示されます。名称が未設定のままなので、名称を入力した上で保存先フォルダを指定しましょう。

3 ドラッグ＆ドロップでファイルを移動する

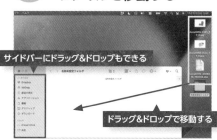

サイドバーにドラッグ＆ドロップもできる
ドラッグ＆ドロップで移動する

ファイルを移動するにはファイルをドラッグ＆ドロップするだけです。デスクトップからFinderに移動したり、サイドバーの項目に移動することもできます。

4 Finderを複数起動してファイルを移動する

右クリックして「新規Finderウインドウ」を選択する

フォルダ間でファイルの移動を行う場合は、Finderを複数起動しましょう。DockのFinderアイコンを右クリックして「新規Finderウインドウ」で複数起動できます。

ここがポイント

ほかのAppleデバイスとファイルを同期する

iPhoneやiPadを使用しているなら、Mac上のファイルを同期できるようにしましょう。「システム設定」から「Apple ID」を開き「iCloud」をクリックすると同期可能な項目が表示されます。複数のMacを利用している場合、iCloud Driveのオプション画面で「"デスクトップ"フォルダと"書類"フォルダ」を有効にすると、ほかのMacのデスクトップと書類内のファイルを同期できます。

「"デスクトップ"フォルダと"書類"フォルダ」にチェックを入れる

---

④

「書類」フォルダにはよく使うファイルを置く

ウインドウズの「ドキュメント」に相当するのが「書類」フォルダです。よく使うファイルや、まだ分類できないファイルはとりあえず「書類」に保存しておきましょう。

⑤

「パブリック」フォルダでファイルを共有する

LANネットワークを使ってほかのデバイスとファイルを共有する場合は「パブリック」フォルダに保存しましょう。「ホーム」フォルダからアクセスできます。

「ファイル共有」を有効にしてパブリックフォルダを使う

初期設定ではファイル共有機能はオフになっています。アップルメニューから「システム設定」→「共有」と進み、「ファイル共有」にチェックを入れると、ほかのデバイスからネットワーク経由でパブリックフォルダにアクセスできるようになります。

便利なFinderを
さらに使いこなす！

ウインドウ周辺の各種バーを使いこなそう

Finderを使いこなす上で重要となるのがサイドバーやツールバーなどウインドウの上下左右端に設置されている各種スペースです。これらのスペースの用途を把握しておきましょう。

重要となるのがウインドウ上部に固定表示された横長のツールバーです。ツールバーでは、表示しているフォルダ内のファイルを効率よく閲覧したり、探すための機能が用意されており、ボタンをクリックして操作できます。なお、ツールバーに表示する項目やボタンの位置は自由にカスタマイズすることができます。

Finderの構造を理解しよう

ツールバー
ボタン1つでFinderの各種機能を実行できます。ツールバーに表示する項目はカスタマイズできます。

ファイル表示形式の選択
「カラム」「ギャラリー」など、さまざまなファイルの表示形式を選択できます（下段参照）。

タブバー
複数のフォルダをタブで切り替えて表示できます。タブの並び順は入れ替えることができます。

パスバー
開いているフォルダがMac内のどの階層下にあるかを表示してくれます。

標準設定ではステータスバーやパスバーなどは非表示になっています。メニューバーの「表示」から表示・非表示設定ができます。

サイドバー
よく使うファイルやフォルダを登録することで素早くアクセスできます。またカラータグを付けた項目の管理もできます。

ステータスバー
開いているフォルダの容量を表示したり、アイコンの大きさを変更できます。

ツールバーを使ってスムーズにファイルを鑑賞する

① アイコン表示で素早くファイルを探す

一番左にあるアイコン表示ボタンをクリックすると、フォルダ内のファイルをサムネイル形式にして表示することができます。写真を探すときに活用すると便利です。

CHECK!!

アイコンサイズを大きくして探しやすくする

アイコンが小さくて内容が分かりづらい場合はアイコンの大きさを変更しましょう。ステータスバーを表示させ、右端にあるスライダーを左右に動かすとアイコンのサイズを変更できます。

② リスト表示でファイル情報を一覧表示する

リスト表示ではファイル名だけでなく、ファイルの種類、最後に開いた日などさまざまなファイル情報を一覧表示できます。また変更日やサイズで並び替えることができます。

サイドバーに表示する項目を
カスタマイズしよう

サイドバーに表示されている項目は自由にカスタマイズできます。メニューバーの「設定」から表示項目を変更しましょう。なお「よく使う項目」では、サイドバーの表示設定に用意されていないフォルダを登録することもできます。

1 「Finder」から「設定」を選択する

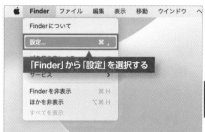

Finderを起動した状態か、もしくはデスクトップのどこかをクリックし、メニューバーの「Finder」をクリックして、「設定」を選択しましょう。

2 サイドバーに表示する項目を選択する

設定画面で「サイドバー」をクリック。「サイドバーに表示する項目」一覧で表示させたい項目にチェックを入れましょう。逆にオフにするとその項目は消えます。

3 よく使う項目に任意のフォルダを登録する

サイドバーの「よく使う項目」には、ドラッグ&ドロップで任意のフォルダを登録できます。フォルダだけでなくファイルを登録することもできます。

4 右クリックでサイドバーから項目を削除する

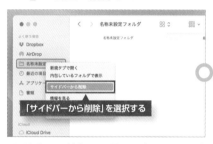

サイドバーから削除したい項目は、右クリックして表示されるメニューで「サイドバーから削除」を選択しましょう。

CHECK!!
Finder起動時にお気に入りのフォルダを開くようにする

Finderを起動したときによく使うフォルダを毎回表示させたい場合は、メニューバーの「Finder」から「設定」→「一般」と進み、「新規Finderウインドウで次を表示」でフォルダを指定しましょう。

ここがポイント

クイックアクションで素早くファイルを編集する

ギャラリー表示の際、右のプレビュー画面下にある「クイックアクション」ボタンをクリックすると、選択中のファイルを素早く編集できます。写真選択時は「回転」と「マークアップ」の2つのボタンが表示され、「回転」ボタンをクリックすると写真の傾きを調整でき、また「マークアップ」をクリックすればテキスト、シェイプ、署名などを入力することができます。

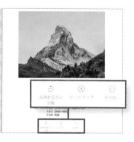

CHECK!!
リスト表示で表示する情報をカスタマイズする

リスト表示画面で表示する情報はカスタマイズできます。リスト表示画面の表示項目欄上で右クリックし、表示させたい情報にチェックを入れましょう。

❸ カラム表示で特定のファイル情報を詳細表示

カラム表示にすると複数の階層を一覧表示できます。階層の奥深い場所にあるファイルに素早くアクセスできます。またフォルダ間の「戻る」「進む」といった動作をする必要がなくなります。

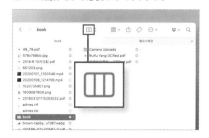

❹ ギャラリー表示にしてファイル内容を大きく表示する

表示ボタンから右端の「ギャラリー表示」を選択すると、フォルダ内のファイルが横にサムネイル表示されます。ファイルを選択すると、内容を大きくプレビュー表示してくれます。

ウインドウサイズを変更して使いやすくする

Finderのウインドウは端をつまんでドラッグすることで自由に好きな大きさに調整できますが、ワンクリック操作でフルスクリーンにしたり、最小化してDockに収納することもできます。ウインドウ左上にある緑ボタンにマウスカーソルをあてるとさまざまなメニューが表示されます。

1 緑ボタンを使ってフルスクリーン化する

ウインドウを画面全体に広げたい場合は、左上にある緑のボタンにカーソルをあて、表示されるメニューから「フルスクリーンにする」を選択。画面全体にウインドウが広がります。

2 緑ボタン上でoptionキーを押す

マウスカーソルを緑のボタンに近づけてoptionキーをクリックすると、メニューが変化します。「拡大/縮小」を選択すると無駄のないウインドウ幅に自動調整してくれます。

3 黄色ボタンでDockに収納する

ウインドウを一時的にデスクトップから非表示にしたい場合は黄色のボタンをクリックします。するとDockにウインドウが収納されます。

4 ウインドウのタイトルバーをダブルクリックする

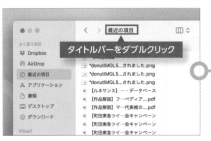

なおウインドウのタイトルバーをダブルクリックすると、標準設定ではウインドウを最適な大きさにしてくれます。

CHECK!!

フルスクリーンのままウインドウを切り替えるには

ほかのフルスクリーンウインドウに切り替える場合はF3キーを押しましょう。切り替えウインドウが現れ、ほかのフルスクリーン状態になっているウインドウに切り替えることができます。トラックパッド上で4本指（3本指）を上下に動かして切り替えることもできます。

ここがポイント

Macのテーマを変更する

macOSでは「ライトモード」と「ダークモード」の2つのテーマが用意されています。ライトモードは、白を基調とした明るい画面表示です。ダークモードは黒を基調とした暗い画面表示で目の疲労を和らげる効果があります。テーマの変更は「システム設定」の「外観」から行えます。

クリックするとテーマが変わる

スタックでデスクトップ上のファイルを整理する

① 右クリックメニューからスタックを使用する

「スタック」という機能でデスクトップのファイルを整理できます。スタックを有効にするには、デスクトップ上で右クリックして「スタックを使用」をクリックします。

「スタックを使用」を選択する

② ファイル別に自動的に整理される

デスクトップ上に散らばっていたファイルが、自動的にファイル形式ごとにまとめられ、デスクトップ右端に設置されます。フォルダはスタック内に収納できません。

ファイル形式ごとに整理される

③ 指定したスタックを展開する

スタックをクリックすると、スタック内に収納されたファイルが、デスクトップに一覧表示されます。もう一度クリックすると展開されたファイルが収納されます。

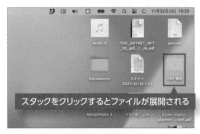

スタックをクリックするとファイルが展開される

フォルダ分類と整頓機能で
散らかったファイルを整理する

ファイルの数が増えてきたら、Finderで整理しましょう。まず、新規フォルダを作成して内容ごとにファイルを分類しましょう。デスクトップ上に散乱しているファイルを整理整頓したい場合は「整頓順序」から好きな整頓メニューを選んで整理しましょう。

1 新規フォルダを作成してみよう

新規フォルダを作成するには、メニューバーの「ファイル」から「新規フォルダ」をクリックします。右クリックメニューの「新規フォルダ」からでも作成できます。

2 新規フォルダの名称を変更する

新規フォルダが作成されます。標準では名称が未設定になっているので、フォルダ上で右クリックして「名前を変更」から好きな名前に変更しましょう。

3 Finderの整頓機能を使ってみよう

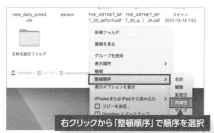

アイコンが散らばったときは整頓機能を使いましょう。右クリックして「整頓順序」から整理したい整理基準を選択しましょう。

4 アイコンが自動で整理整頓する

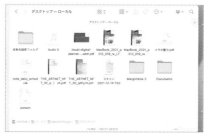

散らばっていたアイコンが指定した順序できれいに整頓されました。整頓後に表示順序を変更する場合も同じように右クリックメニューの「整頓順序」から行いましょう。

CHECK!!

「return」キーで名称を素早く変更する

フォルダやファイルの名称変更をする際、毎回右クリックメニューから「名称を変更」するのは面倒です。素早く名称を変更するならファイルを選択後「return」キーを押しましょう。名前だけが選択された状態になり編集可能になります。

●整頓順序……Finderの状態によっては、「並び順序」としか表示されない場合もあります。

! ここがポイント

ファイルにタグを付けて分類する

スタックではファイルに付けたタグごとにグループ分類することもできます。タグごとにグループ分類したい場合は、デスクトップ上で右クリックして「スタックのグループ分け」から「タグ」にチェックを入れましょう。標準ではレッドやブルーなどのカラータグが用意されていますが、自分で好きなタグ名を作ることもできます。

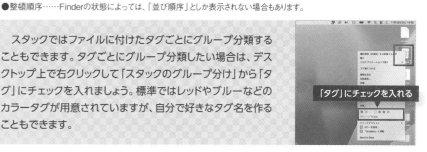

4 スタックからフォルダを作成する

スタックに収納された全ファイルを選択した状態で、新規フォルダの作成もできます。スタックを右クリックして「選択項目から新規フォルダ」を選択します。

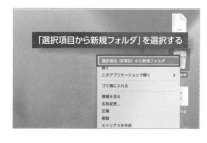

5 グループ分類の方法を変更する

標準ではファイルの種類によってグループ分類されますが、デスクトップ上での右クリックメニューの「スタックのグループ分け」から分類方法を変更することもできます。

6 ファイルをまとめて編集する

スタックにまとめたファイルは右クリックからまとめて名前を変更したり、クイックルックでプレビュー表示させることができます。

031

Mac独自のキーボードや文字入力アプリを覚えよう

Mac独自のキーボード規格を覚えておこう

　Macで初めてパソコンに触れる人なら問題ないのですが、Windowsを使っていた人がMacに乗り換えて戸惑いを覚えるのがキーボード操作です。Mac購入時に付属しているキーボードを使ってみるとWindowsのときとファンクションキーの機能が違っていたり、「command」キーや「option」キーなどWindowsにはなかったキーがたくさん出てきます。またファンクションキーを押すとWindowsとは全く異なる操作になってしまいます。Macでは入力アプリとして「日本語IM」が標準搭載されていますが、これもWindowsの「MS-IME」とはかなり使用感が違います。あらかじめWindowsのキー操作に対応するMacのキー操作を覚えておきましょう。

Macのキーボードで絶対に覚えておきたいキーをチェック！

「control」キー
おもにショートカットキーとして利用します。Windowsの「ctrl」キーとは異なるので注意しましょう。

「shift」キー
最新のMagic Keyboardでは「↑」しか記載されていませんが「shift」キーに相当します。位置も名前もWindowsのキーと同じです。

「return」キー
Windowsの「enter」キーに相当するキーです。文字入力決定に利用します。

「delete」キー
Windowsの「backspace」キーに相当するキーです。押すとカーソル左の文字を削除できます。

「option」キー
Windowsの「alt」キーに相当するキーで、おもにショートカットキーとして複数のキーと組み合わせて利用します。

英数キー

かなキー

「command」キー
コピーやペーストなど最もよく使用するショートカットキーです。Windowsの「ctrl」キーに相当します。

入力中の文字種類の変換は「control」キーを使う

① 入力中の文字をひらがな変換する
Mac標準の入力アプリでは「control」と「j」で入力文字を簡単にひらがなに変換できます。Windowsのファンクションキーでは「F6」に相当します。

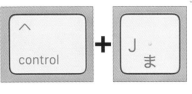

control　j

② 入力中の文字を全角カタカナ変換する
Mac標準の入力アプリでは「control」と「k」で入力文字を簡単に全角カタカナに変換できます。Windowsのファンクションキーでは「F7」キーに相当します。

control　k

③ 入力中の文字を半角英数に変換する
Mac標準の入力アプリでは「control」と「;（セミコロン）」で入力文字を簡単に半角英数に変換できます。Windowsのファンクションキーでは「F8」キーに相当します。

control　;

Mac標準の入力アプリを Windows風に変更する

　Mac標準で搭載されている入力アプリ「日本語IM」は、文字入力と同時に候補文字に自動で変換される「ライブ変換」が適用されますが、これが使いづらいユーザーも多いでしょう。ほかにもWindows時代とは勝手が異なるキー操作が多々あります。Windows風の文字入力設定に戻すようカスタマイズしてみましょう。

1 システム設定から 「キーボード」を選択する

②「編集」をクリック
①「キーボード」をクリック

メニューバーのAppleアイコンをクリックし、「システム設定」をクリックします。「キーボード」を選択し、入力ソース横の「編集」をクリックします。

2 Shiftキーの動作を 英字モードにする

「Shiftキーの動作」を「英字モードに入る」にチェックを入れる

「日本語-ローマ字入力」を選択します。「Shiftキーの動作」を「英字モードに入る」にチェックを入れると、日本語入力モード時にShiftキーを押しながら入力すると「英字」モードになります。

3 Windows風のキー操作 にチェックを入れる

「Windows風のキー操作」にチェックを入れる

「Windows風のキー操作」にチェックを入れると、文字を入力したあとに「delete」キーを押した場合のWindowsのように文字入力を再度変換できるようになります。

4 ライブ変換を 停止する

「ライブ変換」のチェックを外す

「ライブ変換」のチェックを外すと、文字入力時に入力候補に合わせて自動的に文字変換する機能がオフになります。

CHECK!!

「capslock」キーを 「command」キーとして使う

「キーボード」画面の「キーボードショートカット」画面にある「修飾キー」で「capslock」キーを「command」キーとして利用できるように設定をすることもできます。

！ここが ●ポイント

ファンクションキーを使って 文字変換するには？

Macの標準設定では「F7」や「F8」といったファンクションキーを押すと、iTunesコントロールやボリューム変更など特殊機能が働いてしまいます。Windowsのように文字変換のファンクションキーに戻したい場合は、「キーボード」画面から「キーボードショートカット」→「ファンクションキー」と進み、「F1、F2などのキーを標準のファンクションキーとして使用」にチェックを入れましょう。

---

4 入力中の文字を 全角英数に変換する

Mac標準の入力アプリでは「control」と「L」で入力文字を簡単に全角英数に変換できます。Windowsのファンクションキーでは「F9」キーに相当します。

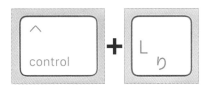

control ＋ L

5 入力中の文字を 確定する

Mac標準の入力アプリでは「control」と「m」で入力文字を確定します。

control ＋ m

CHECK!!

「英数」キーと「かな」キーで 英語入力と日本語入力を切り替える

　日本語入力と英語入力を切り替えるには、標準JISキーボードを利用している場合はスペースキーの両側にある「英数」キーと「かな」キーを利用します。「英数」キーを押すと英語入力になり、「かな」キーを押すと日本語入力になります。

「スペースキー」いらずの ライブ変換を使いこなそう

　Macのライブ変換入力は、慣れればほかの入力アプリよりも格段に入力が楽になります。ライブ変換を使いこなすポイントは「スペース」キーを打つ癖をなくすことです。誤変換があったときでも、文脈に合わせてあとで自動的に修正もしてくれるので、とにかく変換操作をせず打ち続ける姿勢が重要です。

1 スペースキーを使わず ひたすら打ち続ける

ライブ変換で「スペース」キーを使わず、打ち込む癖を身につけましょう。入力時に誤変換があってもそのまま打ち続けると文脈に合わせて自動修正してくれます。

2 誤変換の時は スペースキーを使おう

人名の入力や珍しいお店の名前の入力ではうまく行かないケースもあります。そんなときはこれまで通りスペースキーを使って変換候補を指定しましょう。

3 文節の移動は 矢印キーを使おう

再変換したい文節が異なる場合は「←」「→」キーを使って文節を移動しましょう。また「shift」キーを押しながら移動すると、文節の区切りを変更することができます。

4 ライブ変換を一時的に オフにする

ライブ変換を一時的にオフにしたい場合は、メニューバーの文字入力アイコンをクリックして「ライブ変換」のチェックを外せばよいでしょう。

CHECK!!

ライブ変換でピリオドを 簡単に入力するには

　ライブ変換機能は便利ですが、弱点としてピリオド入力がうまくいかないことがあり、数字の後にピリオドを打とうとすると句点が入力されてしまいます。ピリオドをうまく入力したい場合は「option」キーを押しながら句点キーを押しましょう。

！ ここが ● ポイント

ショートカットの記号を 覚えよう

Mac初心者の場合、ショートカットキーの記号がどのキーを指しているのかわからないため、いまいち使いこなせないことがあります。Macでよく利用するショートカットキー記号をおさらいしましょう。

⌘	⌥	＾	⇧
「command」キー	「option」キー	「control」キー	「shift」キー

┃ ダイアログの選択ボタンを「tab」キーで切り替える

　ダイアログ（選択画面）に表示される「OK」や「キャンセル」などの選択ボタンを選ぶ際、毎回マウスカーソルを移動してクリックするのは面倒です。標準では「tab」キーを押してもリストとテキストボックス間しか移動できません。そこでキーボードナビゲーションを有効にしましょう。有効にして「tab」キーを押すとウインドウやダイアログ内の選択ボタンを「tab」キーで移動できるようになります。

1 「キーボードナビゲーション」 にチェックを入れる

「システム設定」から「キーボード」と進み、「キーボードナビゲーション」にチェックを入れます。

2 「tab」キーで 選択ボタンを切り替える

ダイアログ画面で「tab」キーをクリックしてみましょう。するとプルダウンメニュー項目や選択ボタン画面を移動できるようになります。覚えておくと非常に楽になります。

使いこなしたい上級テク！
入力アプリの便利テクニック

　Mac標準の入力アプリ「日本語IM」には、Mac独自のキーボードに対応したさまざまなショートカットが用意されています。変換候補画面でのカーソル移動や変換対象文節の変更、そのほかのテクニックは、覚えておくと入力操作がスムーズになります。

1 変化候補画面でカーソルを移動する

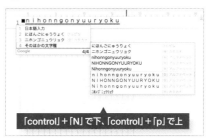

「control」＋「N」で下、「control」＋「p」で上

変換候補画面でカーソルを上下に移動するには矢印キーのほかに「control」＋「N」で下へ移動、「control」＋「p」で上へ移動といった方法があります。

2 変化候補画面で文節を変更する

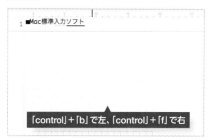

「control」＋「b」で左、「control」＋「f」で右

複数の文節からなる文章を入力したときは、矢印キーのほか「control」＋「b」で文節を左へ移動、「control」＋「f」で文節を右へ移動できます。

3 変換する範囲を拡大・縮小する

変換する文字列の範囲を拡大、または縮小したい場合は、「Shift」キーを押しながら左右の矢印キーを押しましょう。

4 変換候補の表示をシック体にする

文字変換候補の明朝体が気になる人は、「システム設定」→「キーボード」→「入力ソース」と進み、「候補表示」でフォントを変更しましょう。ヒラギノ角ゴシックW4〜6がおすすめです。

ここがポイント

入力方法が分からない絵文字や記号を入力するには

　読み方が分からず入力ができない文字がある場合は「絵文字と記号」パネルを使いましょう。起動すると入力方法の難しい文字が一覧表示され、ここから入力したい文字を探してクリックすると入力できます。利用するには「システム設定」から「キーボード」画面を開き「編集」ボタンをクリックし、「メニューバーに入力メニューを表示」にチェックを入れましょう。

メニューバーから「絵文字と記号を表示」で利用できる

メニューバーやDockをショートカットだけで操作する

　メニューバーやDockなどもキーボードのショートカットで操作できます。操作するには事前に「システム設定」の「キーボード」から「キーボードショートカット」を開き、「ファンクションキー」画面を開き、「F1、F2などのキーを標準のファンクションキーとして使用」にチェックを入れておきましょう。

1 ショートカットキーでメニューバーを操作する

メニューバーをショートカットキーで操作するには「control」＋「F2」をクリックします。メニューバーが選択状態になり、矢印キーでメニューが開けます。

「control」＋「F2」をクリック

2 ショートカットキーでDockを操作する

Dockを操作するには「control」＋「F3」をクリックします。Dockが選択状態になります。左右矢印キーでアプリを選択し、上矢印キーでメニューを開けます。

アプリの起動や終了方法を知ろう

Macに搭載されているアプリを起動する方法で一般的なのはFinderの「アプリケーション」フォルダからアプリを開く方法ですが、ほかにもデスクトップ下部に配置されているランチャー「Dock」から起動したり、インストールしているアプリケーションをデスクトップ画面に一覧表示する「Launchpad」から起動することもできます。また、エイリアス（Windowsのショートカットのようなもの）を作成すれば、自分の好きな場所からアプリ起動することもできるようになります。

Macでアプリを起動するには

アプリケーションフォルダから起動する

アプリケーションフォルダはアプリを起動するだけでなく、ゴミ箱にドラッグ&ドロップしてアンインストールしたり、エイリアスを作成することもできます。

Launchpadから起動する

Launchpadを起動するとデスクトップ全体にインストールしているアプリが一覧表示され、アイコンをクリックすると起動できます。左右にマウスをドラッグしてスクリーンを切り替えることができます（commandキー+左右矢印キーでもOK）。

作成したエイリアスから起動する

エイリアスを作成しておけばデスクトップや好きなフォルダから起動できるようになります。

Spark

Dockから起動する

デスクトップ下部に配置されているのがDockです。標準でいくつかアプリが配置されています。Dockに表示するアプリは自由にカスタマイズできます。また、Dockの位置は左右に移動させたり、縦表示にすることもできます。

さまざまな場所からアプリケーションを起動してみよう

1
アプリケーションフォルダ
から起動する

Finderのサイドバーにある「アプリケーション」やメニューバーの「移動」から「アプリケーション」を選択することでアプリケーションフォルダにアクセスできます。

メニューバーの「移動」から「アプリケーション」を選択

サイドバーの「アプリケーション」をクリック

2
アプリケーションフォルダ
からエイリアスを作成

アイコンを右クリックして「エイリアスを作成」もしくは、デスクトップにドラッグ&ドロップするとエイリアスが作成されます。エイリアスからアプリを起動することもできます。

右クリックから「エイリアスを作成」を選択

3
アプリケーションを
Dockに登録する

Dockには自分で好きなアプリやファイルを登録することができます。アプリケーションフォルダから登録したいアプリをドラッグ&ドロップするだけです。

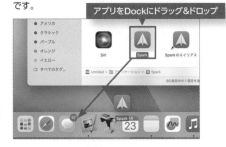

アプリをDockにドラッグ&ドロップ

アプリケーションの起動と終了を知っておこう

ウインドウ左上の赤いボタンをクリックしただけではウインドウがデスクトップから消えただけでアプリは終了していません。アプリを完全に終了させるにはメニューバーから「終了」を選択するか、Dock上のアイコンを右クリックして「終了」を選択しましょう。

1 アイコンの下のランプで起動中のアプリを確認

起動中のアプリはDockのアイコンの下に黒いランプが点灯しています。アプリが終了しているかどうか確認するにはここをチェックしましょう。

2 メニューバーからアプリを終了する

「Safari」から「Safariを終了」を選択する

アプリを完全に終了するには、Safariの場合アプリをアクティブにしてメニューバーの「Safari」から「Safariを終了」を選択します。ショートカットキーで終了もできます。

3 Dockからアプリを終了させる

アイコンを右クリックして「終了」を選択する

Dockに表示されているアプリの場合は、Dock上のアイコンを右クリックして「終了」を選択して終了させることもできます。

4 メニューバーに常駐しているアプリを終了するには

メニューから「終了」を選択する

アプリの中にはメニューバーに常駐して起動するアプリもあります。多くのアプリはアイコンをクリックして表示されるメニュー内の「終了」を選択すれば終了できます。

CHECK!!

フリーズしたアプリを強制終了させる

フリーズ（操作を受け付けない状態）などが発生してアプリがうまく終了できない場合は、アップルメニューを開き「強制終了」を選択しましょう。「option」＋「command」＋「esc」キーでも終了できます。

! ここがポイント

Dockを非表示にしてデスクトップを広く利用する

ノート型Macはデスクトップが狭いため、ユーザーによってはDockが邪魔に感じることがあります。そこでDockを使わないときは非表示設定にしましょう。「システム設定」から「デスクトップとDock」を開き、「Dockを自動的に表示/非表示」にチェックを入れると、Dockが隠れ、マウスカーソルをデスクトップ下部に近づけたときだけ自動的に表示されるようになります。

「Dockを自動的に表示/非表示」にチェックを入れる

4 Dockからアプリケーションを削除する

逆にあまり利用しないアプリはDockから削除することもできます。Dockの外に向かってアイコンをドラッグし「削除」という文字が出たらドロップすると削除されます。

Dockからアプリをドラッグし「削除」が出たらドロップ

5 Lanchpadからアプリを起動する

Dock左から2番目のLauchpadアイコンをクリックするとLauchpadが起動し、インストールしているアプリが一覧表示されます。Windowsのスタートメニューとよく似ています。

クリック

CHECK!!

Siriを使って音声入力で起動する

Macには音声入力アプリSiriが標準搭載されており、音声入力でアプリを起動することもできます。Siriを利用するには「システム設定」から「SiriとSpotlight」を開き、「Siriに頼む」を有効にしましょう。メニューバーから利用できます（40ページ参照）。

Macのアプリケーションをインストールしよう

App Storeから
アプリをダウンロードしよう

Macには標準で搭載されている以外にも便利なアプリケーションがたくさん配信されています。アプリケーションをダウンロードするにはMac App Storeを利用しましょう。Mac App Storeではカテゴリ別にアプリを探したり、キーワードを使って目的のアプリを探すことができます。Mac App StoreはDock上のアイコンをクリックして起動しましょう。

なお、アプリケーションをダウンロードするにはApple IDでログインする必要があります。すでにiPhoneやiPadなどでApple IDを取得しているなら、そのApple IDでログインしましょう。

Mac App Storeを起動してみよう

Dockから起動する

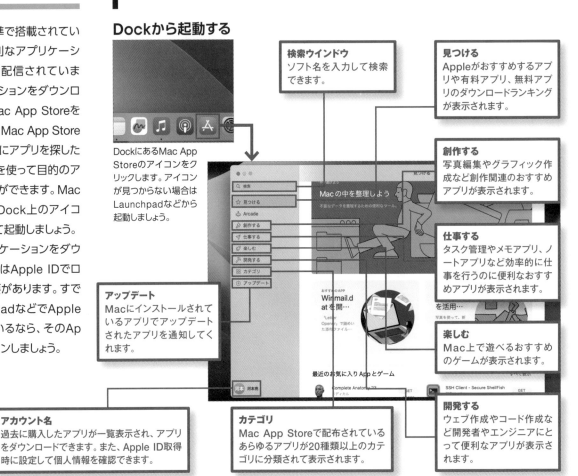

DockにあるMac App Storeのアイコンをクリックします。アイコンが見つからない場合はLaunchpadなどから起動しましょう。

検索ウインドウ
ソフト名を入力して検索できます。

見つける
Appleがおすすめするアプリや有料アプリ、無料アプリのダウンロードランキングが表示されます。

創作する
写真編集やグラフィック作成など創作関連のおすすめアプリが表示されます。

仕事する
タスク管理やメモアプリ、ノートアプリなど効率的に仕事を行うのに便利なおすすめアプリが表示されます。

楽しむ
Mac上で遊べるおすすめのゲームが表示されます。

開発する
ウェブ作成やコード作成など開発者やエンジニアにとって便利なアプリが表示されます。

アップデート
Macにインストールされているアプリでアップデートされたアプリを通知してくれます。

アカウント名
過去に購入したアプリが一覧表示され、アプリをダウンロードできます。また、Apple ID取得時に設定して個人情報を確認できます。

カテゴリ
Mac App Storeで配布されているあらゆるアプリが20種類以上のカテゴリに分類されて表示されます。

Mac App Storeでアプリをダウンロードしよう

① アプリをダウンロードする

ダウンロードしたいアプリのページを開いたら、「入手」、もしくは雲マークのボタンをクリックします。有料アプリの場合は価格が表示されます。

② 利用しているApple IDをMac App Storeに入力する

Apple IDの入力画面が表示されます。利用しているApple IDを入力しましょう。ない場合は「Apple IDを作成」から新規にIDを作成しましょう（23ページ参照）。

利用しているApple IDとパスワードを入力する

③ Launchpadからインストールしたアプリを起動する

インストールしたアプリはLaunchpadにアイコンが追加されます。アプリケーションフォルダから起動することもできます。

ウェブ上で配布されている Macアプリをインストールする

　MacではMac App Store以外の場所で配布されているアプリもダウンロードしてインストールすることができます。ただし、App Storeからダウンロードするときと異なり、ダウンロードした実行プログラムを直接アプリケーションフォルダに手動でコピーする必要があるので注意しましょう。

1 ダウンロードしたアプリを実行する

通常、ウェブ上からダウンロードしたアプリを実行しようとすると確認画面が現れます。この場合「開く」をクリックすると起動できます。

2 インストール画面からインストールするアプリ

「.dmg」というファイル形式のアプリの場合は実行するとインストール画面が表示されます。「続ける」をクリックすればインストールできます。

3 Macのパスワードを入力

インストール画面の後にパスワード入力画面が表示されます。ここではMacのログインパスワードを入力しましょう。

4 アプリアイコンをフォルダにコピーする

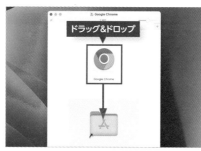

起動するとアプリアイコンとアプリケーションフォルダが表示されるものがあります。この場合は、アプリアイコンをフォルダにドラッグ&ドロップします。

5 アプリケーションフォルダにインストールされる

ドラッグ完了後、アプリケーションフォルダを開くとアプリがインストールされています。

！ ここが ポイント

アプリをアンインストールする

　Macにインストールしたアプリをアンインストールするには、Launchpadを開いて対象アプリ上で長押しします。「×」マークが表示されるのでクリックするとアンインストールが始まります。「×」マークが表示されない場合は、アプリケーションフォルダを開いて対象アプリをゴミ箱にドラッグし、ゴミ箱を空にするとよいでしょう。

「ごみ箱」にアプリをドラッグ&ドロップ

---

4 「購入済み」からアプリをダウンロードする

App Store左下のプロフィールアイコンを開くと過去にダウンロードしたアプリが一覧表示されます。クリックすると無料で再ダウンロードできます。

①プロフィールアイコンをクリック
②ダウンロードする

5 「アップデート」からアプリを最新版にする

アプリにアップデートがあると、Mac App Storeの「アップデート」で通知されます。アプリだけでなくmacOSのアップデートもここで通知されます。

CHECK!!

ソフトの自動アップデートを中止する

　アップデータが自動ダウンロードされた際に表示される「インストールしますか?」という通知が煩わしい場合は、メニューバーの「App Store」の「設定」画面で自動ダウンロード設定をオフにすることができます。

効率よく情報を探すには SiriやSpotlightを使いこなそう

疑問に思ったことは Siriに話しかけてみよう

Macには、音声アシスタントのSiriが搭載されています。SiriはMacに向かって話しかけるだけでパソコンの操作ができる機能です。Siriでできることは多様ですが、わからないことや調べたいことがあるときなどに利用するのがベストです。

たとえば「今日の天気は?」と話しかけると現在地情報から天気予報を知らせてくれます。また「今日のメールは?」と尋ねると今日届いたメールを探して表示してくれます。疑問があったことはなんでも話しかけてみましょう。「何ができますか?」と話しかければ、Siriで操作可能なコマンドと尋ね方をアプリ別に分類して一覧表示してくれます。

Siriを有効にするには、「システム設定」の「SiriとSpotlight」で「Siriに頼む」にチェックを入れておく必要があります。

Siriを使ってみよう

Launchpadやタスクバーから起動する

メニューバーにあるアイコンをクリック

Siriを利用するにはLaunchpadにあるSiriアイコンをクリックしましょう。もしくはメニューバー右から2番目にあるSiriアイコンをクリックします。

Siriに話しかける

今日の天気は?

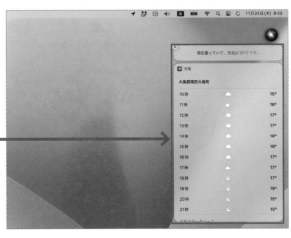

黒いウインドウのSiriが起動したら、Macに何か質問したいことを話しかけてみましょう。ここでは「今日の天気は?」と話しかけてみました。するとSiriが質問した内容に対して回答してくれます。

知っておくと便利なSiriの便利な使い方

 1

周囲の店を探す

現在地の近くにある店を探したい場合は「○○を探して」と話しかけると、近くの店舗をリスト表示してくれます。クリックするとその店への経路や店舗情報を表示してくれます。

コンビニを探して!

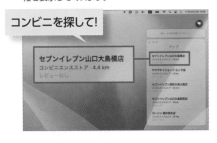

2

通貨レート計算や 単位変換に便利

「○ドルを円に換算」と話しかけると、現在の為替レートで素早く単位換算して答えを表示してくれます。読み上げてくれるので単位を間違えることもありません。

100ドルを円に換算!

3

口頭でサクッと メモをとる

テキストエディタやメモアプリを起動するのが面倒な場合は、Siriに「メモをとる」と話しかけ、その後にメモ内容を話しかけましょう。するとメモアプリに内容を記録してくれます。

メモをとって!

Spotlightで
あらゆる情報を検索する

　Spotlightは、Macに標準搭載されている検索機能です。Macに保存されているファイルだけでなく、アプリケーションやインターネット上の情報まで幅広く検索対象にできます。検索結果画面はファイルを種類別に分類して表示してくれるので、目的のファイルをスムーズに探し出すことができます。

1 Spotlightを起動して
ファイルを検索する

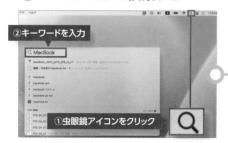

②キーワードを入力
①虫眼鏡アイコンをクリック

右上にある虫眼鏡アイコンをクリックすると検索フォームが表示されるのでキーワードを入力します。すると素早く検索結果が表示されます。

CHECK!!

検索候補の表示を
カスタマイズする

　検索結果が膨大に表示されるときは、表示する項目を絞り込みましょう。「システム設定」から「SiriとSpotlight」を開き、「検索結果」タブで、検索結果を表示したくないデータのチェックを外しましょう。

3 クリックして目的の
ファイルにアクセスする

ダブルクリックでファイルを開く

ファイル検索結果でタイトルをクリックするとファイルを直接開くことができます。

4 さらに詳しく表示する

検索結果画面で「さらに表示」をクリックすると、そのファイルの種類をFinder上で一覧表示してくれます。

5 アーティスト情報を
探す

アーティスト名を入力する

アーティスト名を入力すると、そのアーティストに関するニュース記事や音楽のコンテンツ、映画情報を検索結果に表示することができます。

！ここが
● ポイント

Finderの検索フォームも
使いこなそう

　特定のフォルダ内からファイルを探すならFinderの右上に設置されている検索フォームを使うといいでしょう。開いているフォルダ以下の階層だけを検索対象にでき、検索結果を絞り込むことができます。ファイル名だけでなく、ファイル内に記載された情報も検索対象にできます。

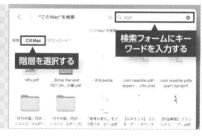

検索フォームにキーワードを入力する
階層を選択する

---

4 ディスプレイの
明るさを調整する

質問以外にMacの操作でもSiriは便利です。たとえば「画面を暗くして」と話しかけると、自動で画面輝度調節をしてくれるので、環境設定画面を開く必要はありません。

画面を明るくして！

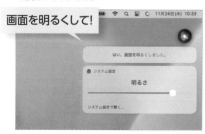

5 スポーツの
結果を知る

「スポーツの結果を教えて」と話しかけると最近行われた世界中のスポーツの試合結果を知ることができます。サッカー、プロ野球、バスケットボールなどの結果を知ることができます。

ワールドカップの結果を教えて！

6 Siriでできることを
知るには？

Siriでできることをもっと知るには、「Siriでできることを教えて」と話しかけましょう。表示される画面をクリックするとAppleのSiri関連の情報を開くことができます。

何ができるの？

クリック

新着メールやスケジュールを 通知センターで確認しよう

情報をまとめて 一覧できる通知センター

通知センターは、Macのシステムやアプリからの通知を表示するスペースです。

新しくメールを受信したり、リマインダーに設定している時刻が迫ったら、通知センターからポップアップと音声で知らせてくれます。通知センターをうまく利用することで重要な情報を見逃してしまうことはありません。カレンダーアプリやリマインダーアプリに登録している「今日の予定」を一覧表示することができます。アプリを1つ1つ起動して情報をチェックする必要なく、あらゆるアプリの予定をここで一覧表示できます。

通知センターではウィジェットを表示することもできます。各ウィジェットごとにさまざまなサイズが用意されており、自分だけの使いやすいウィジェットスペースを作ることができます。

通知センターを 便利に利用しよう

通知センターを開く

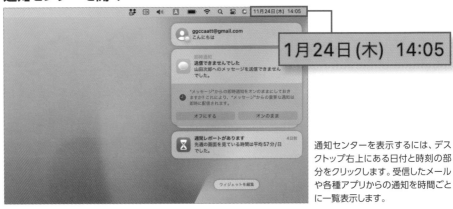

通知センターを表示するには、デスクトップ右上にある日付と時刻の部分をクリックします。受信したメールや各種アプリからの通知を時間ごとに一覧表示します。

連絡先アイコンが表示される

連絡先に登録されている相手からであれば相手の写真が表示されます。

通知センターの設定を変更する

①

通知設定を変更する 通知を右クリック

通知設定を変更したいアプリの通知を右クリックするとメニューが表示されます。通知をオフにしたい場合は「オフにする」を選択しましょう。

通知させないなら 「オフにする」を選択

②

通知の表示形式を 変更する

通知の表示形式を変更する場合は、手順1で「"通知"環境設定」を選択します。各アプリの通知設定画面が表示され、通知形式をカスタマイズできます。

③

スリープ、ロック、ミラーリング時の 通知設定をする

通知設定画面上部では、スリープ中に通知を許可するか、ロック中に通知を許可するかなどの設定ができます。

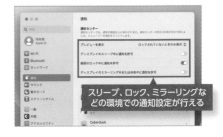

スリープ、ロック、ミラーリングなどの環境での通知設定が行える

ウィジェットを好みの形に
カスタマイズする

通知センターにある各ウィジェットはカスタマイズすることができます。サイズを変更したり、ドラッグで好きな位置に移動させましょう。

また、天気予報や株価などは表示方法もカスタマイズできます。変更した内容はiCloud経由でほかのiOSデバイスにも反映されます。

1 ウィジェットの位置を変更する

ウィジェットをドラッグすることで自由に位置を変更することができます。

2 ウィジェットのサイズを変更する

ウィジェットのサイズを変更したい場合は、右クリックします。メニューから変更したいサイズにチェックを入れましょう。

3 ウィジェットを削除する

不要なウィジェットは削除しましょう。右クリックから「このウィジェットを削除」を選択します。

4 ウィジェットの設定を変更する

ウィジェットごとに設定を変更することもできます。右クリックから「○○を編集」をクリックすると編集画面が表示されます。

CHECK!!

ウィジェットをまとめて編集するには

ウィジェットを右クリックしたときに表示されるメニューで「ウィジェットを編集」をクリックすると、指定しているウィジェットだけでなくほかのウィジェットの編集画面も一覧表示されます。ウィジェット全体の設定を変更したい場合に利用しましょう。

！ここがポイント

ウィジェットを追加する

ウィジェットは標準で用意されているもの以外にもたくさんあります。役に立ちそうなウィジェットを探して追加しましょう。ウィジェットを追加するには、「ウィジェットを編集」を選択し、左側に表示されているウィジェットから追加したいものをクリックしましょう。

追加するウィジェットを選択する

---

4 設定画面から通知設定を変更する

通知設定画面は通知センターだけでなく、システム設定の「通知」から表示させることもできます。通知がないときに通知設定を変更したいときはここからアクセスしましょう。

「通知」をクリック

5 通知センターに表示させないようにする

ロック画面には表示させるが通知センターには表示させないようにするには、通知を許可したまま「通知センターを表示」のチェックだけ外しましょう。

「通知センターに表示」のチェックを外す

6 即時通知をするようにする

「即時通知」にチェックを入れると通知が常時表示され見逃しづらくなります。時間を知らせるリマインダーやカレンダーアプリなど、スケジュールアプリの多くが対応しています。

「即時通知を許可」にチェックを入れる

集中モードを上手く設定して作業効率を上げる

おやすみモードを強化した新機能「集中モード」

前OS Montereyから新しく作業効率を上げるために「集中モード」という新機能が追加されました。集中モードとは、気を散らすものをできるだけ減らして作業に集中できるようにする機能です。以前のOSにあった就寝時間に限って通知をオフにする「おやすみモード」を拡張させたもので、仕事や運転などのほかの時間帯でも、通知音を鳴らさないようにすることができます。また、ほかの人やAppに自分が忙しいことを知らせることもできます。

あらかじめ用意されている集中モードのテンプレート（「運転」、「パーソナル」、「睡眠」、「仕事」など）を選択するほか、オリジナルの集中モードを作成することもできます。

集中モードを起動して有効にする

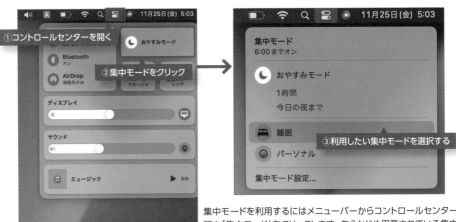

①コントロールセンターを開く
②集中モードをクリック
③利用したい集中モードを選択する

集中モードを利用するにはメニューバーからコントロールセンターを開き「集中モード」をクリックします。あらかじめ用意されている集中モードが表示されるので有効にしたいモードをクリックしましょう。

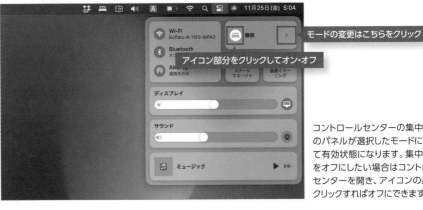

モードの変更はこちらをクリック
アイコン部分をクリックしてオン・オフ

コントロールセンターの集中モードのパネルが選択したモードに変更して有効状態になります。集中モードをオフにしたい場合はコントロールセンターを開き、アイコンの部分をクリックすればオフにできます。

用意されている集中モードをカスタマイズする

❶ システム設定画面の「集中モード」から

集中モードの設定は、システム設定画面に新しく追加された「集中モード」から行うこともできます。

「通知と集中モード」をクリック

❷ 「おやすみ」モードをカスタマイズする

「集中モード」タブを開くと集中モードのリストが一覧表示されます。各リストの細かな設定をしましょう。ここでは「おやすみ」モードを編集するので「おやすみモード」をクリックします。

①「おやすみモード」をクリック

❸ 重要な人からの通知は見逃さないようにする

睡眠中でも重要な人からの通知を見逃さないようにするには「通知される連絡先」から連絡先に登録しているユーザーを追加します。また、通知してもらいたいアプリも指定することができます。

通知可能な連絡先を登録する
通知可能なアプリを登録する

オリジナルの集中モードリストを作成する

新たにほかの集中モードリストを追加するほか、自分でオリジナルの集中モードを作成することもできます。作成はシステム環境設定の「通知と集中モード」画面から行います。なお、リストは最大10個まで作成できます。

1 「カスタム」を選択してオリジナルを作成する

「集中モードを追加」をクリックして「カスタム」を選択するとオリジナルのリストを作成することができます。また、用意されているほかのリストを追加することもできます。

2 リスト名やアイコンを設定する

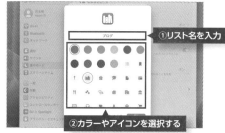

リスト作成画面が表示されます。リスト名を入力して、カラーやアイコンを指定しましょう。

3 オプションや自動有効機能を設定する

リスト一覧に作成したリストが追加されたらクリックします。あとは、重要な人からの通知を許可したり、自動で有効にする時間帯や条件を指定しましょう。

4 コントロールパネルから切り替える

作成したリストはコントロールパネルにある集中モードにも反映され、素早く切り替えて利用することができます。

CHECK!!

「即時通知」設定で確実に受け取る

「カレンダー」や「電話」などの一部のコミュニケーションアプリケーションには、即時通知機能があります（42〜43ページ参照）。これらのアプリの通知を見逃さないようにするには、「通知されるApp」で「即時通知を許可」にチェックを入れておきましょう。

! ここがポイント

集中モードはiOSと連携できるが非連携にもできる

集中モードの各リストは標準では同じApple IDにサインインしているiPhoneやデバイスでも共有されます。便利ですが、Macや特定のデバイスのみに適用したい人も多いでしょう。もし、Macだけに適用したい場合は、集中モードの各リストの下部にある「集中モード状況を共有」のチェックを外しましょう。

チェックを入れるとほかのデバイスと共有

4 指定した時間帯にあわせて自動で集中モードにする

「スケジュールを追加」から「時刻」を選択すると、指定した時間帯になると自動で設定した集中モードにすることができます。就寝時の時刻を設定しましょう。

時刻を指定する

5 指定した場所にあわせて自動で集中モードにする

「スケジュールを追加」から「場所」を選択して場所を指定すると、その場所に入ったときに自動で集中モードにすることができます。自宅やホテルなどの場所を指定しておくといいでしょう。

集中モードに指定する場所を指定する

CHECK!!

集中モードを削除したくなったら？

自分で追加した集中モードは、システム設定でその集中モードを選択して、画面下の「集中モードを削除」で削除できますが、「おやすみモード」は消すことができません。

ステージマネージャで
デスクトップを使いやすくする

使っていないウインドウを
デスクトップ左側に整列

「ステージマネージャ」は、デスクトップ上のウインドウを整理してくれるMacの新しい整理機能です。ステージマネージャを有効にすると、使っていないウインドウすべてがデスクトップ左側にアプリ別に自動整理されます。各アプリのウインドウ内容はサムネイルで表示され、実際にそのウインドウに切り替えなくても変化がわかります。たとえば、メッセージの着信の状況などもサムネイル状態のままでわかります。デスクトップ上にウインドウが散らからないのが最大のメリットです。

なお、ステージマネージャを有効にすると、従来のように複数のアプリを並列表示にして作業をできなくなりますが、「グループ」化をすることで複数のアプリを並列表示させることもできます。

ステージマネージャを有効にする

クリックして有効にする

ステージマネージャを利用するには、コントロールセンターを開き、「ステージマネージャ」をクリックして有効にしましょう。

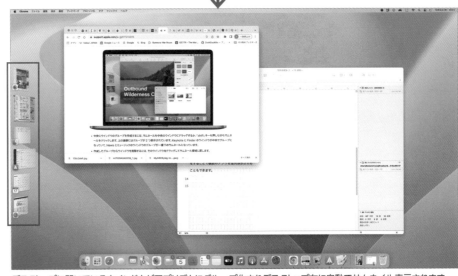

デスクトップに開いているウインドウがアプリごとにグループ化されデスクトップ左に自動でサムネイル表示されます。

ステージマネージャーを使いこなそう

① 最近使ったアプリから優先してサムネイル化される

サムネイルは最近使ったアプリから優先して表示され、それより前のウインドウはDockに収納した状態になります。

最近使ったアプリが優先表示される

使っていないアプリはこれまで通りDockへ

② サムネイルをクリックして表示するアプリを切り替える

サムネイルをクリックすると、そのアプリがデスクトップに表示され、それまで表示されていたアプリがサムネイル化します。

クリックするとデスクトップに表示される

③ ほかのウインドウを並列表示にする

ほかのウインドウと並列して表示させたい場合は、サムネイルをウインドウにドラッグしましょう。複数のウインドウを組み合わせて表示できます

サムネイルをドラッグする

ステージマネージャを使う上でのポイント

ステージマネージャを快適に使いこなすコツは、ショートカットキーによる操作やマウスポインタを動かして起きる動作など、標準だとわかりづらい操作を把握しておくことです。また、よく併用するアプリの組み合わせはグループ化しておくことも快適に使いこなすコツです。

1 使いやすいアプリの組み合わせを考えよう

テキストエディタ・ブラウザ・PDFビューア・Finder

テキスト入力作業をする人なら、テキストエディタのほかに参考資料を開くためのアプリ（ブラウザ、PDFビューア、Finder）をグループ化させるのがおすすめです。

2 フルスクリーンでもステージマネージャを使うには?

①手動でウィンドウサイズを大きくした状態

②ポインタを左端に移動させる

フルスクリーン表示にするとステージマネージャが隠れて利用できなくなりますが、手動でウィンドウサイズを大きくした場合は、ポインタを左端に寄せると表示させることができます。

3 ほかのウインドウに切り替えずサムネイル化する

ウインドウをほかのウインドウに切り替えずにサムネイル化するには、最小化ボタン（黄色ボタン）をクリックするか、「command」＋「M」キーを押します。

4 サムネイルを非表示にする

「command」＋「H」キーを押してサムネイルを消していく

サムネイルを非表示にしたい場合は、「command」＋「H」キーを押しましょう。サムネイルが一つずつ消えていきますがアプリが終了したりグループが解除されているわけではありません。

5 「command」＋「tab」キーでアプリを切り替える

「command」＋「tab」キーでアプリを切り替え、非表示になったアプリを表示させる

非表示にしたサムネイルを表示させたい場合は、Dockからアプリをクリックするほか「command」＋「tab」キーでアプリを表示させる方法もあります。

！ここがポイント

ステージマネージャを使いにくく感じたら無理して使わずオフにしよう

ステージマネージャによるデスクトップ操作になかなか慣れない場合はオフにするといいでしょう。また、以前からあるデスクトップ操作機能「Mission Control」を使うのもいいでしょう。トラックパッドを指4本（または3本）で上向きにスワイプするか、F3ボタンを押すと現在開いているウインドウをサムネイルで一覧表示することができます。

F3キーを押すとMission Controlが起動

---

4 グループ化してサムネイル状態にする

複数のウインドウを表示させた状態を「グループ」といいます。ほかのアプリを表示させた際でもグループは解除されず、保存しておくことができます。

グループ化したサムネイル

5 グループを解除してサムネイルに戻す

作成したグループから特定のウインドウを削除するには、そのウインドウ左上をつまんでドラッグしてサムネール領域に戻します。

ウインドウ左上をつまんでをサムネイルにドラッグする

CHECK!!

サムネイル化しないようにするには?

ウインドウの右上側をつまんでドラッグして移動すれば、勝手にサムネイル化されデスクトップからウインドウ画面がなくなることはありません。グループ化された状態のまま、位置を調整できます。

Split Viewを使って画面を分割しよう

画面の狭いMacBookで使うと便利な画面分割機能

画面の狭いMacBookで複数のアプリを起動して作業をすると、ウインドウが重なりがちで作業がしづらく感じるときがあります。マルチタスクを行うときに利用すると便利なのがSplit View機能です。

Split Viewを有効にするとデスクトップが2分割され、ウインドウが重ならないようフルスクリーン表示させることができます。片方でSafariを開きながら、もう片方でテキストエディタを開き資料作成するときなどに便利です。なお、有効中はDockやメニューバーは非表示になります。ただし、SplitViewを利用するとステージマネージャが使えなくなります（フルスクリーン表示と同じ扱い）。とちらが使いやすいか、試してみるといいでしょう。

MacでSplit Viewを使ってみよう

左右にドラッグして比率を調節する

Split Viewを有効にすると画面に分割線が表示されます。分割線はドラッグして左右に動かすことができ、アプリ画面の比率を自由に調節できます。

緑ボタンにカーソルを当てウインドウを入れ替える

緑ボタンにカーソルを当て「タイル表示されたウインドウを置き換える」をクリックしましょう。

Split Viewを使ってみよう

① 緑のボタンにカーソルを合わせてSplit Viewを起動する

Split View機能を利用するにはウインドウ左上にある緑ボタンにマウスカーソルを合わせます。表示されるメニューから「ウインドウを画面○側にタイル表示」を選択します。

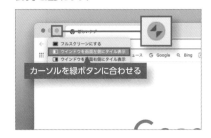

カーソルを緑ボタンに合わせる

② デスクトップが分割される

デスクトップ画面の半分にフルスクリーンで表示されます。もう半分のデスクトップには現在開いているウインドウがサムネイル表示されます。開きたいウインドウをクリックしましょう。

開きたいウインドウをクリックしましょう

③ 左右の場所を入れ替える

左右に分割したアプリウインドウの位置を入れ替えたい場合は、カーソルを上部に移動してタイトルバーを表示させ、左右にドラッグしましょう。

タイトルバーをドラッグする

3章

WindowsからMacに乗り換える

FROM Windows TO Mac

WindowsからMacに乗り換える際には、いくつか障壁があります。その重要なポイントを解説しているのが本章です。すごく難しいわけではありませんが、できることならばある程度の期間は両機種を併用できれば安心です。

Windowsで使っていたファイルをMacで再生するには

アプリケーションは使えないがファイルであればたいてい開ける

Windowsで再生していた画像、動画、音楽、オフィスファイルなどの多くは、問題なく再生することができます。Windows形式のWMVファイルなど一部標準では再生できないタイプのものもありますが、別途多機能プレイヤーをインストールすることで再生できます。圧縮ファイルについても同じで、ZIP形式であれば標準で問題なく解凍できます。

注意したいのはアプリケーションファイルです。Windowsにインストールするときに使っていたプログラムファイル「EXE」は、Macでは利用できません。アプリケーションについてはMac専用のファイル形式「dmg」をダウンロードして利用する必要があります。

Windows専用アプリ以外のファイルはだいたい大丈夫！

ほとんどのファイルはMac標準で再生可能！

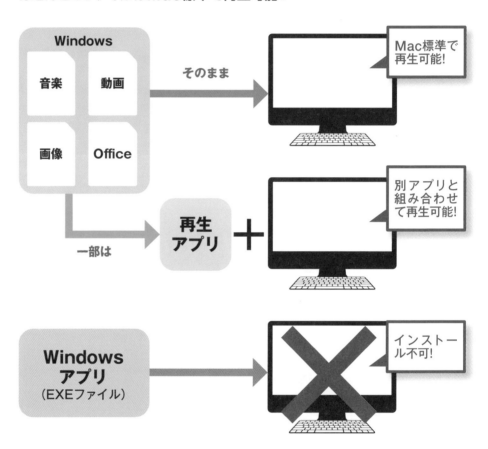

Windows　音楽　動画　画像　Office → そのまま → Mac標準で再生可能!

一部は → 再生アプリ ＋ → 別アプリと組み合わせて再生可能!

Windowsアプリ（EXEファイル） → ✕ → インストール不可!

Macで上手く扱えないファイルは、このアプリで完全解決する！

①
音楽と動画再生のトラブルはVLCメディアアプリプレイヤーで解決！

WMVをはじめ一部の動画はMacでは再生できないことがあります。VLCメディアプレイヤーならMPEG-2、MPEG-4、H.264、MKV、WebM、WMV、MP3、WMVなど多くの形式に対応しています。

VLCメディアプレイヤー:http://www.videolan.org/vlc/

②
MacのiWorkが使いづらいならOfficeやGoogleサービスがおすすめ

ワードやエクセルを閲覧するだけなら、Mac標準搭載のiWorkアプリ（Pages、Keynote、Numbers）で十分ですが、本格的に編集するならOfficeやGoogleドライブを使うといいでしょう。

Microsoft 365 for Mac:https://www.microsoft.com/ja-jp/microsoft-365/mac
Googleドライブ:https://www.google.com/intl/ja_ALL/drive/

③
ブラウザはChromeやFireFoxも使える

ブラウザは標準搭載のSafariでも十分ですが、ChromeやFirefoxといった人気ブラウザがMac上でも利用できます。

Chrome:http://www.google.co.jp
Firefox:https://www.mozilla.org

Mac版純正Officeを導入するなら ラインナップをチェックしよう

Mac用Officeにはさまざまな製品があるため、購入する際は注意しましょう。家電量販店で販売されているような買い切り型の製品を購入したい場合は「Office Home & Student 2021 for Mac」もしくは、「Office Home & Business 2021 for Mac」を選びましょう。前者は個人用で価格は

26,184円、後者は法人用で価格は38,284円になります。一度購入したら以降料金を支払う必要がないのがメリットです。

買い切り型とは別に、「Microsoft 365 Personal」シリーズという新しいOfficeもあります。これは、月払いや年払いでOfficeが利用できるサービスです。たとえば1年契約だと12,984円（税込）でこれまで同様、Word、Excel、PowerPointなどのOfficeアプリが利用できます。

本誌おすすめは契約型のMicrosoft 365 Personalです。ほかのシリーズよりメリットが多く、たとえばMacだけでなくWindowsやスマートフォン、タブレットでも利用することができます。また1TBのOneDriveのストレージが利用できたり、毎月60分間のSkypeクレジットが利用できます。最新版ではスペル、文法、スタイルを強化するのに役立つ「Microsoftエディター」を利用することもできます。

Mac版純正Officeのラインナップをチェック！

製品名	Microsoft 365 Personal	Office Home & Student 2021 for Mac	Office Home & Business 2021 for Mac
製品画像	Microsoft 365 Personal	Microsoft Office Home & Student	Microsoft Office Home & Business
価格	¥1,284/1か月 ¥12,984/1年間	¥26,184（購入版）	¥38,284（購入版）
利用可能アプリ	W X P O N	W X P O N	W X P O N
利用可能PC	Windows、Mac	2台のMacで利用可能	2台のMacで利用可能
タブレットとスマートフォン	タブレット、スマートフォン（Windows、iOS、Android）など、同一ユーザーが使用するすべてのデバイス（同時に5台までサインイン可能）	–	–
OneDrive	1TBのストレージサービス（OneDrive）が利用できる	–	–
Skype	毎月60分間のSkypeクレジットで携帯電話や固定電話に発信できる	–	–
そのほか	・常に最新バージョンにアップデート ・Officeテクニカル サポート	・非営利目的の使用に限定	
用途	家庭・ビジネス	家庭	家庭・ビジネス

Office代替サービスを 使う手もある！

有料のオフィスをどうしても使いたくない場合は、無料で利用できるサービスを使いましょう。たとえばGoogleドライブはクラウド上でWordやExcelなどのファイルを編集することができます。編集したファイルはローカルにOffice形式でダウンロードすることもできます。ほかにも60-63ページで紹介しているクラウドサービスなどの選択肢があります。

---

④

FTPサーバは無料で 高機能なCyberduck

FTPサーバへアクセスするためのクライアントは、サードパーティアプリのCyberduckがおすすめです。FTPをはじめDropboxやGoogleドライブなどクラウドストレージにもアクセスできます。

Cyberduck:https://cyberduck.io

⑤

メモ帳、ワードパッドは テキストエディット

Windowsのメモ帳やワードパッドに相当するMacの標準アプリはテキストエディットです。リッチテキストと標準テキストのフォーマット選択ができます。

⑥

PDFビューアは プレビューを使おう

Mac上でPDFファイルをクリックするとプレビューというアプリが開きます。PDFの閲覧や注釈入れであればプレビューで十分でしょう。ページの並び替えや分割なども行えます。

WindowsのデータをMacへ移行しよう

移行アシスタントを使ってデータを引き継ごう

Windows上にあるさまざまなデータをまとめてMacに移行する場合は「移行アシスタント」を利用しましょう。Windowsパソコン上に保存しているメール、連絡先、ブックマーク、写真などのファイルをネットワーク経由で新しいMacに簡単にコピーでき、Lightningケーブルや外付けハードディスクを使って手動で移動する必要はありません。

移行アシスタントを利用するには、事前にいくつか準備しておく必要があります。MacとWindowsパソコンを同じネットワーク環境に設定しましょう。また、Windows側で移行アシスタントのプログラムを公式サイトからダウンロードしてインストールしておく必要があります。ダウンロード時は、利用しているMacOSに対応したバージョンを選びましょう。

移行アシスタントを使うためのプロセス

移行アシスタントを使う前の準備

WindowとMacを用意する

移行元となるWindowsパソコンと移行先となるMacパソコンを用意します。

同じネットワークに接続する

両方のパソコンを同じWi-Fi、またはEthernetのネットワークに接続させておきましょう。

移行アシスタントを起動する

Macを初期化して起動する

移行アシスタントはMacをはじめて起動したときに表示される初期化画面で利用するのがおすすめです。

どちらかを選ぶか、手動でデータを移動する

手動で移動する場合は56ページへ！

現在のMacから移行アシスタントを起動する

現在すでに使っているMacからでも移行アシスタントは起動できます。「アプリケーション」フォルダの「ユーティリティ」フォルダから移行アシスタントアプリをクリックしましょう。

移行アシスタントを使ってWindowからMacへ移行しよう

① Windows側で移行アシスタントをダウンロードする

まずWindows側でアップルのWindows移行アシスタントの公式サイトにアクセスします。利用しているMacOSをクリックしてプログラムをダウンロードしましょう。

利用しているMacOSを選択する

https://support.apple.com/ja-jp/HT204087

② Windows移行アシスタントをインストールする

プログラムファイルを実行してインストール作業を行います。基本はXP以降のWindowsパソコンであれば利用できます。今回はWindows 10からインストールしてみます。「次へ」をクリックします。

③ Windows移行アシスタントのインストールを完了

インストーラの画面に従って進めていけばインストールは完了です。「完了」をクリックして終了させます。

移行アシスタントで
移行できないデータは？

　移行アシスタントでは、移行できるデータとできないデータがあります。メール、メッセージ、連絡先、予定、写真やその他の重要フォルダ内のファイルはまるごと移行できます。なお転送したデータはWindowsと同じフォルダではなく、Macの適切な場所に移動されます。

　移行できないデータは、Mac上で利用できないアプリケーションプログラムです。ただし「Windows」フォルダまたは「Program Files」フォルダに入っている非システムファイルは移動できるので、一部のアプリ内のデータを移動することは可能です。移行時の転送情報選択画面で移行できるデータが一覧表示されるのでチェックするとよいでしょう。

　また、連絡先など一部のデータは現在ログインしているWindowsユーザーに属するデータしか移動できません。別のアカウントのデータを移動するには、そのアカウントに切り替える必要があります。

1 移行アシスタントの「転送する情報を選択」で確認

移行できるデータは移行アシスタントの「転送する情報を選択」画面で確認できます。チェックを付けたデータのみ移行できます。

2 アプリケーションの移行は基本的に不可能

アプリケーションファイルは消失する

アプリケーションのプログラムは移行できません。アプリケーションファイルが入ったフォルダを移行すると自動的に消えてしまうので注意しましょう。

移行アシスタントでMacに移行できるデータ一覧

メール関連	●Outlook（Windows7以降） 連絡先、IMAP設定、POP設定、メッセージ。 IMAP設定、POP設定、メッセージなど ●Windowsメール（Windows8を除くWindows7以降） 連絡先、IMAP設定、POP設定、メッセージ、
ピクチャ	写真やその他の画像
その他のファイル	●その時点でログインしている Windows ユーザのホームディレクトリの最上位フォルダに入っているファイル ●「Windows」フォルダまたは「Program Files」フォルダに入っている非システムファイル ●ユーザの Windows システムディスク上の最上位にあるフォルダ
ブックマーク	●Chrome、Edge、Firefox、Internet Explorer、Safari
iTunesのコンテンツ	●音楽はApple Musicアプリに ●ビデオはApple TVアプリに
システム設定	●言語と位置情報の設定 ●Web ブラウザのホームページ ●カスタムのデスクトップピクチャ

 ここが
● ポイント

現在のMacから移行アシスタントを使ったときの注意点

Macをすでに使っている人でも「ユーティリティ」フォルダにある「移行アシスタント」から利用できます。ただし、すでに利用しているアカウントとは別のアカウントを新たに作成することになり、結果、Mac上にこれまでのデータとWindow用のデータの2つのアカウントが作成される上、現在のMacアカウントから、データにアクセスできないので注意しましょう。

移動したWindowsデータ専用の
アカウントが作成される

4 Windowsにインストールした移行アシスタントを起動する

インストールが完了したら、移行アシスタントを起動します。「続ける」をクリックします。

5 Windows側の準備は完了 Mac側の準備へ

この画面が表示されたらいったんWindows側の設定は完了です。移行先Macが同じネットワーク上にあるか確認して、Macの方の準備をします。

CHECK!!

「Edgeを強制終了してください」と出て先に進めない！

Windows移行アシスタントを起動すると、「Edgeを強制終了してください」という警告が出て先に進めないことがあります。この問題は、Windowsのタスクマネージャーのプロセス一覧画面を開き、Edgeに関する項目をすべてオフにすることで解決できます。

WindowsからMacに乗り換える

Windowsのデータは Macのどこへ保存される?

　移行したデータは、Windows時代のフォルダ名やアプリケーション名のままではありません。たとえばWindowsメール関連のデータであれば、Mac標準搭載アプリ「メール」アプリに保存されるなど、あらかじめ移動先が決められています。

1 お気に入り→ Safariのブックマーク

Chrome、Edge、Firefox、Internet Explorer、Safari などに保存されているお気に入りはSafariのブックマークに移動します。

2 メール設定とメッセージ→ 「メール」アプリ

Outlook、Windowsメールなどメールアプリのデータはメールアプリに移動します。

3 メールの連絡先→ 連絡先

People (Windows 10 以降)、Outlook、ホームディレクトリの「アドレス帳」フォルダからの連絡先は連絡先アプリに移動します。メールアプリではないので注意したいところです。

4 Outlookの予定→ カレンダー

Outlookの予定はカレンダーアプリに移動します。ただし移行アシスタントは、64ビット版のOutlookには対応していません。

5 iTunesのコンテンツ→ ミュージック

Windowsに登録していたiTunesの音楽ファイルはそのままMacのミュージックに移動できます。プレイリストもそのまま引き継げます。

ここが ● ポイント

Windowsのパソコンが 表示されない!

　ネットワークはきちんとつながっているのにWindowsアシスタントの移行がうまくいかない場合は、ほかにWindowsで開いているアプリをすべて終了させましょう。特にウイルス対策ソフトウェアが常駐起動しているとうまくデータ転送されないことがあります。Windowsファイアウォールもオフにしてみるとよいでしょう。

ファイアウォールをオフにする

---

6 Mac側で移行アシスタント を起動する

移行アシスタントを起動するにはMacを初期化するほか、「アプリケーション」フォルダの「ユーティリティ」フォルダ内から起動することもできます。「Windows PCから」にチェックを入れます。

「Windows PCから」にチェックを入れる

7 ネットワーク上にある WindowsPCを選択する

移行元のWindows PCの名前が表示されたら選択して、「続ける」をクリックします。表示されない場合は同じネットワーク内にない可能性があるのでネットワークを見直しましょう。

「続ける」をクリック

8 Mac上に表示される パスコードをメモしよう

ネットワークの接続がうまくいくとMacの画面にパスコードが表示されます。このパスコードをメモして、Windows側の画面を確認します。

205254

写真やそのほかのデータはホームフォルダへ移行

Windowsの各フォルダ内のデータもMacに移動されます。Finder内の対応したフォルダに移動されますが、Mac標準ではサイドバーの項目部分で非表示になっており、アクセスしづらくなっています。メニューバーの「移動」から「ユーザ」フォルダへアクセスしましょう。

Windows各種フォルダの移動先

ダウンロード	➡	ダウンロード
デスクトップ	➡	デスクトップ
ピクチャ	➡	ピクチャ
OneDrive	➡	OneDrive
パブリックフォルダ	➡	共有
ドキュメント	➡	書類

これらのフォルダは「ユーザ」フォルダからアクセスできます。

1 メニューバーの「移動」から「ユーザ」フォルダにアクセス

「コンピュータ」を選択します

Windowsから移動したデータがあるフォルダを一覧表示するには「ユーザ」フォルダへアクセスしましょう。Finderのメニューバーの「移動」から「コンピュータ」を選択します。

2 ユーザフォルダに移動する

「Macintosh HD」から「ユーザ」フォルダへ移動すると、もともとあったMacフォルダと共有フォルダのほかにWinodwsパソコンのフォルダが追加されています。

3 パブリックフォルダは共有フォルダへ

「共有」をクリック

Windowsのパブリックフォルダは「共有」フォルダにあります。メニューバーの「移動」→「コンピュータ」→「Macintosh」→「ユーザ」と進み「共有」をクリックします。

4 「"c"からのファイル」というフォルダを開く

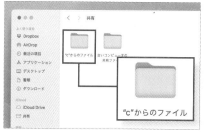

"c"からのファイル

「"c"からのファイル」というフォルダが見つかります。これがパブリックフォルダ内にあったファイルが収められたフォルダです。

！ここが ●ポイント

iTunesのコンピューター認証台数に注意しよう

WindowsからMacにデータを移行したときはiTunesで購入したコンテンツの認証台数に注意しましょう。データ移行先のMacでiTunesを起動してiTunes Storeにログインすると、新しいPCとして認証されてしまいます。Apple IDで購入したコンテンツを利用するには5台までと制限があるので、データ移行後はWindows側のiTunesの認証を解除しておきましょう。

ミュージック

---

9 Macの番号とWindowsの番号を照らし合わせる

Windows側のPC画面を開いてみてください。Macに表示されたパスコードが記載されたダイアログが起動しているので「続ける」をクリックします。

323603

「続ける」をクリック

10 移行するデータにチェックを入れる

再びMac側の画面に戻ります。「転送する情報を選択」という画面が表示されます。移行するデータにチェックを入れましょう。最後に「続ける」をクリックすれば移行開始です。

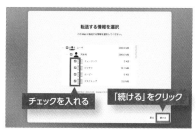

チェックを入れる　「続ける」をクリック

11 移行が完了するとこのような画面になる

データの移行が完了すると、準備完了画面が出たあとにロック画面が表示されます。

河本亮　河本亮

WindowsからMacへ データを手動で移動する

共有フォルダやクラウド 経由でデータを移そう

　移行するデータが少しだけなら手動でデータを移しましょう。移行アシスタントよりも素早く作業を終えることができます。また手動での作業は移行アシスタントのようにMacを初期化する必要がないため、現在使用しているアカウントのMacにそのままコピーできる点も大きな魅力です。

　手動でデータを移すにはさまざまな方法がありますが、最も簡単なのは共有フォルダを使ってLANネットワーク経由でデータを移す方法でしょう。もし、LANネットワークの設定がうまくいかない場合は、DropboxやGoogleドライブなどクラウドアプリを使ってインターネット経由で移すといいでしょう。Windows版と同じくデスクトップアプリをインストールすると、Finderのサイドバーに共有フォルダが作成されます。

ネットワーク経由で データを手動で移す方法

LANネットワーク経由でデータを移す

Finderのサイドバーの「場所」にWindowsのパブリックフォルダが表示される

Windowsでもサイドバーの「ネットワーク」にMacの名前が表示される。

WindowsとMacは内蔵の共有機能を使ってファイル共有ができます。MacからWindowsにアクセスするにはWindows側のネットワーク設定で共有機能を有効にしておく必要があります。

クラウドアプリを使ってデータを移す

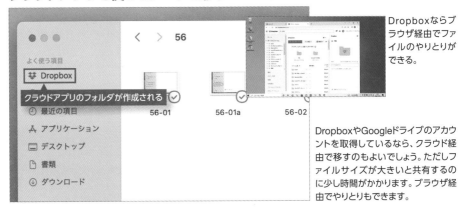

クラウドアプリのフォルダが作成される

Dropboxならブラウザ経由でファイルのやりとりができる。

DropboxやGoogleドライブのアカウントを取得しているなら、クラウド経由で移すのもよいでしょう。ただしファイルサイズが大きいと共有するのに少し時間がかかります。ブラウザ経由でやりとりもできます。

MacからWindowsの共有フォルダにアクセスする

① Windowsのファイル共有機能を有効にする

スタートメニューの「Windowsシステムツール」→「コントロールパネル」→「ネットワークとインターネット」と進み、「ネットワークと共有センター」をクリックします。

「ネットワークと共有センター」をクリック

② 「共有の詳細設定」画面を開く

左にある「共有の詳細設定の変更」をクリックしましょう。

「共有の詳細設定の変更」をクリック

③ 共有設定を変更して保存する

「ネットワーク探索を有効にする」「ファイルとプリンターの共有〜」「Windowsでホームグループ〜」にチェックを入れて「変更の保存」をクリックします。

Dropboxやクラウドアプリで データを移動する

既にDropboxなどのクラウドアプリを利用しているなら、それらを使ってデータをMacへ移しましょう。大手クラウドサービスであれば大半はMac版アプリがリリースされています。ここではDropboxを利用したデータの移し方を紹介します。

1 公式サイトから ダウンロードする

DropboxのアプリはMac App Storeではなくブラウザで公式サイトにアクセスしてダウンロードする必要があります。
https://www.dropbox.com/

2 Dropboxフォルダが 追加される

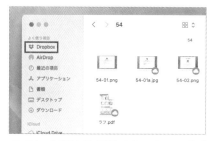

インストールするとサイドバーにDropboxフォルダが追加され、ここにデータが同期されます。Dropboxのフォルダはホームフォルダからアクセスすることもできます。

3 同期するフォルダを 選択する

設定アイコンをクリックして「基本設定」を選択

標準設定ではDropbox上のすべてのフォルダを同期してしまいます。同期するフォルダを選択する場合は、メニューバーのアイコンをクリックして設定アイコンをクリックし、「基本設定」を選択します。

4 「同期」タブを 開く

「フォルダを選択」をクリック

アカウント画面が表示されたら「同期」タブを開きます。「フォルダを選択」をクリックします。

5 同期するフォルダに チェックを入れる

チェックを入れる

同期したいフォルダにチェックを入れましょう。選択したフォルダのみPCと同期されるので、スムーズにデータの移行が行なえます。

ここが ポイント

USBメモリを使って データを移動する場合の注意

ネットワークがうまく接続できない場所にパソコンが置いてある場合はUSBメモリや外付けハードディスク経由でデータを移しましょう。基本的にこれまでWindowsマシンで使っていたUSBメモリーをそのまま使っても問題なく動作はします。注意点として1つのファイルが4GB以上の大容量のものを移す場合は、フォーマットでexFATにしておく必要があります。

フォーマットで「exFAT」を指定

---

④ パブリックフォルダ にコピーする

共有設定が終わったら「パブリック」フォルダにMacへ転送したいファイルをコピーしましょう。パブリックフォルダへは「PC」→「Windows」→「Users」からアクセスできます。

パブリックフォルダにデータをコピーする

⑤ Mac側から別名で 接続する

Mac側でFinderを起動し、サイドバーの「場所」にある「ネットワーク」からWindowsマシンを選択します。右上の「別名で接続」をクリック。

②「別名で接続」をクリック
①ネットワークからWindowsのマシン名を選択する

⑥ Windowsの ログインパスワードを入力する

「登録ユーザ」にチェックを入れて、Windowsのログインに利用しているアカウント名とパスワードを入力すればアクセスできるようになります。

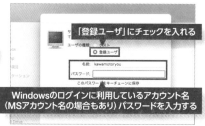

「登録ユーザ」にチェックを入れる
Windowsのログインに利用しているアカウント名（MSアカウント名の場合もあり）パスワードを入力する

WindowsとMacの機能や操作を理解しよう

WindowsとMacの大きな違いをチェック!

　WindowsとMacはインターフェースや標準搭載のアプリが非常によく似ているため、初めてMacに触っても直感で利用できる部分も多いでしょう。しかしそれでも、Windowsのあの機能はMacではどこにあるのかという場面に出くわすことは多々あります。たとえば、Windows時代であればフォルダの階層構造を見たり移動するには、エクスプローラのアドレスバーを確認すればよかったですが、Mac標準設定ではアドレスバーのようなものがなく、階層構造が分かりにくくなっています。ファイルの表示方法や内蔵ビューアを使った鑑賞方法もWindows時代と多少異なります。そこでWindowsとMacの機能の操作の違いのうち、おもなものをまとめて紹介しましょう。

Macのファインダーとwindowsのエクスプローラーの違いをチェック

アドレスバーはパスバーで確認する

メニューバーの「表示」→「パスバーを表示」を選択すると、Finder下部にWindowsのアドレスバーに相当するパスバーが表示されます。

カラム表示で階層構造を見る

ほかに階層構造をチェックするには、Finderの表示方法をカラム表示設定に切り替える方法もあります。

ファイルの拡張子を表示する

Macでは標準ではファイルの拡張子は表示されません。表示するにはメニューバーの「Finder」→「設定」→「詳細」で「すべてのファイル名拡張子を表示」にチェックを入れましょう。

クイックルックで素早く閲覧する

Windowsの「フォト」のようにフォルダ内のファイルを素早く切り替えて閲覧するには、スペースキーをクリックして起動するクイックルックがおすすめです。矢印キーでファイルを切り替えることができます。

WindowsとMacのアプリの追加と削除の違いは?

① Windowsでのアプリケーションの追加と削除

Windowsでのアプリの追加はインストーラから。削除はスタートメニューの「設定」→「アプリ」の「アプリと機能」から対象アプリを選択して行います。

② Macでのアプリケーションの追加と削除

Macの場合は、アプリの追加はMac App Storeからかインストーラを利用します。削除はアプリケーションフォルダから直接ゴミ箱にドラッグ&ドロップします。

③ Windowsでのアプリケーションの終了

Windowsアプリを終了するには、ウインドウ右上端にある「×」ボタンをクリックします。「ファイル」メニューからもアプリを終了できます。

おすすめの
右クリック設定方法

　Mac購入時に付属している
Magic MouseはWindowsで利
用していたマウスと操作が異な
り、初期設定では右クリック操作
がありません。右クリックメニュ
ーを開く場合は「control」キー
を押しながらマウスをクリックを
する必要があります。

1 「control」キーとマウスクリック

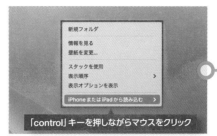

「control」キーを押しながらマウスをクリック

Magic MouseでWindowsのような右クリックメニ
ューを出すには「control」キーを押しながらマウスを
クリックしましょう。

CHECK!!

トラックパッドの場合も「control」キーを押す

　MacBookユーザーでトラッ
クパッドで操作をしている場合
もMagic Mouseの操作と同じ
く、「control」キーを押しながら
トラックパッドをクリックするこ
とで右クリック操作が可能にな
ります。

2 システム設定から「マウス」を選択する

「マウス」をクリック

Windowsのような右クリック操作に変更する場合
は、アップルメニューの「システム設定」を開いて「マ
ウス」をクリックします。

3 Magic Mouseの右クリック設定を変更する

「副ボタンのクリック」にチェックを入れる

「ポイントとクリック」を開き、「副ボタンのクリック」か
ら、「右側をクリック」にチェックを入れましょう。これ
で右クリックが可能になります。

4 トラックパッドの右クリック設定を変更する

右下隅をクリック、など適用したい操作を指定する

トラックパッドユーザーの場合は「システム環境設定」
から「トラックパッド」を開き、「副ボタンのクリック」か
ら、右クリックの操作を指定しましょう。

ここが ● ポイント

ブートキャンプで Windows環境を作ることも可能

　どうしてもWindows環境が必要になってしまった場合、わざ
わざWindows用のPCを別途購入しなくても現状のMacのパ
ーティションを分割し、片方のスペースにWindowsをインスト
ールすることができます。これらの作業を行うには内蔵アプリ
「Boot Camp」を使いましょう。Windowsのインストールメデ
ィアさえあれば、Windows環境を構築できます。

「ユーティリティ」フォルダから「Boot Campアシスタント」をクリック

※2020年以降のM1チップ搭載のMacでは、Windowsをインストールする際の操作が異なります。

---

4 Macでのアプリケーションの終了

Macでもウインドウ左上に「×」ボタンがあります
が、これをクリックしてもウインドウが閉じるだけ
で終了していません。メニューバーの「アプリ名」
→「○○を終了」から終了しましょう。

5 Windowsでのデバイスの外し方

WindowsでUSBメモリや外付けハードディスク
を取り外す場合は、アイコンを右クリックして「取
り出し」をクリックするか、通知領域のアイコンを
クリックして「安全に取り外す」を選択します。

6 Macでのデバイスの外し方

Macで外付けデバイスを接続するとデスクトップ
にアイコンが表示されます。取り外す場合はこの
アイコンをゴミ箱にドラッグ&ドロップすればよい
でしょう。

あまりお金をかけずOfficeをMacで使うには？

標準搭載されているiWorkを使いこなす

Microsoft Officeを利用したいがために高価なMac版Officeを購入せざるをえないという人は多いでしょう。しかし、ちょっとした編集や閲覧だけならMacでも標準で行えます。Apple純正のオフィススイート「iWork」シリーズを活用しましょう。

iWorkは「Pages」「Numbers」「Keynote」の3つのアプリで構成されています。これらをMicrosoftのOfficeにたとえると、文章入力のWordがPages、表計算のExcelがNumbers、プレゼンテーションのPowerPointがKeynoteにあたります。各アプリはMicrosoft Office形式のファイルの読み込みや出力にも対応しています。2017年から完全に無料化されたアプリなのでぜひとも使いこなしましょう。Mac App Storeからダウンロードできます。

Apple純正のオフィススイート「iWork」シリーズとは

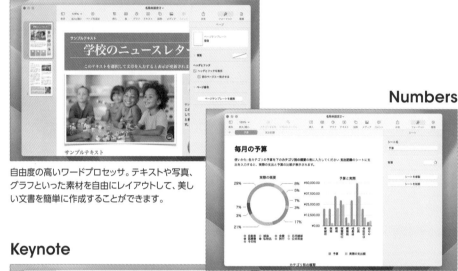

Pages

サンプルテキスト

自由度の高いワードプロセッサ。テキストや写真、グラフといった素材を自由にレイアウトして、美しい文書を簡単に作成することができます。

Numbers

一枚のシートに複数の表を入れ込めたり、テキストや写真も自由にレイアウトできる表計算アプリ。数式の入力も可能です。

Keynote

PowerPointと互換性のあるプレゼンテーションアプリ。作成はもちろんのことオフィスで作成したプレゼンテーションを読み込んで編集することもできます。

無料で使えるiWorkを使ってみよう

❶ Mac App Storeからダウンロードする

iWorkは標準搭載のアプリではないため、Mac App Storeからそれぞれダウンロードする必要があります。もちろんダウンロードは無料です。

❷ エクセルをNumbersで開いてみよう

ExcelファイルをNumbersで開いてみましょう。問題なく表示できました。メニューは見慣れないので編集には戸惑いますが、セルの簡単な編集であればいつも通りの操作でできます。

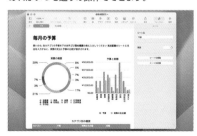

❸ 作成した表計算をエクセル形式で書き出す

Numbersで新規作成したファイルをExcelで読み込めるように書き出すには、メニューバーの「ファイル」から「書き出す」で「Excel」を選択しましょう。するとxlsx形式で出力できます。

「書き出す」から「Excel」を選択する

無料でオフィスファイルを編集する

「LibreOffice」は無料で利用できるオフィスアプリです。マイクロソフト製オフィスと互換性が高く、インターフェースもよく似ています。iWorkのインターフェースに慣れない人におすすめです。

LibreOffice
作者／The Document Fou
価格／無料
URL／https://ja.libreoffice.org/

1 公式サイトからダウンロードする

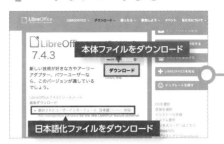

本体ファイルをダウンロード
日本語化ファイルをダウンロード

LibreOfficeはMac App Storeではなく公式サイトからダウンロードする必要があります。サイトにアクセスしたら本体ファイルと日本語化ファイルの両方をダウンロードしましょう。

CHECK!!

日本語化ファイルもダウンロードしよう

LibreOfficeはそのままでは英語インターフェースで使いづらいです。ダウンロードサイトには日本語化ファイルも一緒に配布されているので、ダウンロードしましょう。インストール後、設定メニューの言語設定で日本語を選択しましょう。

2 LibreOfficeで作成できるドキュメント

LibreOfficeでは、文書や表計算、プレゼンテーションといったオフィスの基本ツールにくわえ、ドローツール、データベース、数式エディタも搭載しています。

3 オフィス文書を開いて編集する

新規ドキュメントを作成するのはもちろん、エクセルやワードなどのオフィス形式のファイルを開いて編集できます。ただし、複雑なマクロなどを利用していると開けないことがあります。

4 MS Office形式やPDF形式での保存も可能

標準ファイル形式は「ODF」ですが、保存する際にオフィス形式を指定して保存したり、PDFへエクスポートすることもできます。

ここがポイント

低価格の市販オフィスアプリにも注目しよう

iWorkやLibreOffice以外の選択肢として低価格で販売されている市販のソフトもあります。「Polaris Office for Mac」は、Mac OS向けのOffice互換ソフトです。Word、Excel、PowerPoint 2016〜97の各形式に対応し、最新のmacOS「Ventura」にも対応しています。それでいて価格は、Officeの約6分の1の4,378円です。

---

iWorkはクラウド上でも利用できる

❶ iCloud.comを使ってファイルを閲覧する

iWorkはクラウド上でブラウザ経由で利用することもできます。利用するには「iCloud.com (https://www.icloud.com/)」にアクセスして、利用しているApple IDでログインします。

❷ ファイルをアップロードして閲覧する

手元にあるオフィスファイルをアップロードするには、アップロードアイコンをクリックして「スプレッドシートをアップロード」を選択します。

クリックしてファイルを選択する

❸ 編集したファイルを書き出す

iCloud.comで編集したファイルをダウンロードするには、メニューアイコンをクリックして「コピーをダウンロード」を選択して、ファイル形式を指定しましょう。

「コピーをダウンロード」をクリックする

WindowsからMacに乗り換える

閲覧中心でOKなら互換性の高いMicrosoft 365

　他人から受け取ったExcelやWordを閲覧するのが中心であれば「Microsoft 365」を利用しましょう。Microsoft公式のOfficeWebアプリで、アプリ版とほぼ同様のインターフェースを誇ります。

APP

Microsoft 365

作者／Microsoft
価格／無料
URL／https://www.office.com

1 公式サイトにアクセスする

コード認証が必要な場合もあります

アプリケーションを選択

公式サイトにアクセスしたら、利用しているMSアカウントを入力してログインして、Word、Excel、PowerPoint、OneNoteから利用したいアプリケーションのアイコンをクリックしましょう。

2 ファイルをアップロードする

ここではExcel Onlineにログインしました。上向き矢印のアップロードボタンをクリックして、閲覧したいファイルをアップロードしましょう。

3 崩れのないレイアウトでフォントもきちんと再現

最新版Officeとほぼ同じレイアウトのリボンメニューが表示されます。フォント、レイアウトについての互換性は高く、およそ同じ感覚で利用できます。

4 ウェブアプリ版ならではの共有機能

公開URLを作成して共有できる

Webアプリらしく、共有機能もあります。「共有」ボタンから共有したい人に編集権や閲覧権を付与できます。わざわざファイルを自分で保存して相手に送る必要はありません。

CHECK!!

Microsoft 365はOneDriveの機能の一部！

Microsoft 365はOneDriveと連携しています。すでにOneDriveを利用しているなら、事前にOneDriveにファイルを保存して、ログイン後「OneDriveから開く」ですぐに読み込めます。

！ここがポイント

Dropbox上のオフィスファイルを開いて編集する

Dropbox上にあるExcelやWordはすぐにDropbox上で開いて編集できます。ブラウザでDropboxにアクセスしてファイルを開いたら、右上にある「次のアプリで開く」をクリックし、利用するサービスを選択しましょう。保存する際はDropboxに上書き保存できます。また、Googleスプレッドシートで開くこともできます。

アプリを切り替える／ファイルを保存する

1 ほかのアプリに切り替える

ほかのアプリに切り替えるには左上のアイコンをクリックします。利用可能なアプリが一覧表示されるので、目的のアプリを選択しましょう。

2 保存する際は「ファイル」から

編集したファイルは自動的にOneDriveに保存されていますが、ローカルにダウンロードする場合は、左上の「ファイル」をクリックします。

「ファイル」をクリック

3 名前を付けて保存する

メニューが開きます。「名前を付けて保存」をクリックし、「名前を付けて保存」を選択するとダウンロードできます。

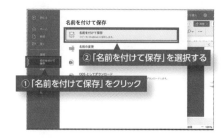

②「名前を付けて保存」を選択する
①「名前を付けて保存」をクリック

4章

標準アプリを使いこなす

BASIC APP MASTER

Web閲覧、メール、写真・PDF編集、カレンダーなどの、一般的にパソコンで必要な操作はすべてMacに標準装備のアプリで必要十分です。有料のアプリを一切導入しなくても、当分は問題なくあらゆる用途に役立つはずです。

Mac標準のウェブブラウザ 「Safari」の操作をマスターしよう

ウェブページの閲覧に必須の高機能ブラウザ

　Macでウェブサイトを閲覧するには「Safari」を利用します。ブックマーク、タブ、ウェブ検索などブラウジングを快適に行う定番機能を搭載しており、インターフェースもEdgeやChromeなどのブラウザとよく似ているため、初めてでも違和感なく利用できるでしょう。

　ブックマーク、開いているタブ、ログインパスワード、履歴などのブラウザ内のデータはiOS端末と同期でき、Mac、iPad、iPhoneのブラウザ情報をいつも同じ状態にできます。

　開いているタブをグループ化することもできます。「ニュース」「SNS」「ブログ」といったタブグループ名をつけ、開いているタブを分類しましょう。グループ名をクリックすると追加したタブをまとめて開くことができます。

Safariのインターフェースをチェックしよう

サイドバー
クリックするとサイドバーが表示されます。サイドバーではタブグループ、ブックマークに登録したページやリーディングリストに登録した記事を一覧表示できます。

スマート検索フィールド

Safariのアドレスバーは検索機能も備えており、キーワードを入力すればGoogleで検索結果を表示してくれます。また、クリックすると「お気に入り」を表示してくれます。

タブ

クリックすると現在開いているタブをサムネイル形式で一覧表示できるほか、同じApple IDでログインしているiOS端末で開いているタブも表示できます。

ブックマークにページを追加する

① よくアクセスするページはブックマークに登録する

Safariでページを開いた状態で「共有」アイコンをクリックして「ブックマークに追加」をクリックすると、ブックマークにページが追加されます。

共有メニューから「ブックマークに追加」をクリック

② サイドバーやメニューバーブックマークを利用する

ブックマークに登録したページにアクセスするには、サイドバーを表示させ「ブックマーク」タブを開きましょう。メニューバーの「ブックマーク」からもアクセスできます。

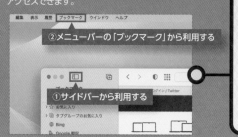

②メニューバーの「ブックマーク」から利用する

①サイドバーから利用する

CHECK!!

「ブックマーク」と「お気に入り」の違いに注意しよう

　Safariでは「ブックマーク」と「お気に入り」があります。「お気に入り」に登録したページはスマート検索フィールドをクリックしたときに表示される画面から素早くアクセスできます。

ページの閲覧をサポートする
タブに備わるさまざまな機能

　複数のウェブページに同時にアクセスできるタブは、情報収集時などにとても重宝しますが、Safariのタブ機能はそれだけではありません。閲覧しやすいようにタブを並び替えたり、別のウインドウとして開いたりと、状況に応じた操作が可能です。

1 ウェブページをタブで開くと 複数のページにアクセスできる

新規タブを開くと、ひとつのウィンドウで複数のウェブページにアクセスすることができます。表示するページの切り替えはタブをクリックするだけで、ドラッグ&ドロップにより並び替えもできます。

2 開きっぱなしにしておきたい タブは固定表示にできる

ずっと開いておきたいタブがあるときには、そのタブを開いた状態でメニューバーの「ウインドウ」から「タブを固定」を選択しましょう。左側にタブが固定され、同様の手順で解除するまで表示されます。

3 タブで開いているウェブページを 新しいウインドウで開く

複数のタブを開いている際に、ひとつのタブをSafariのウインドウ外にドラッグ&ドロップすると、新しいウインドウとして開けます。

4 開きすぎたウインドウは タブにしてまとめられる

逆に複数のウインドウでウェブページを開いている場合には、メニューバーの「ウインドウ」から「すべてのウインドウを結合」を選択すれば、ひとつのウインドウ上にタブとして表示されます。

5 お気に入りの 表示を増やす

スマート検索ボックスをクリックしたときに表示される画面の内容を増やすには右上の「表示を増やす/減らす」をクリックしましょう。隠れているほかの登録サイトやよく訪問するサイトが表示されます。

！ここが ●ポイント

トラッキング防止機能を 有効にして プライバシーを保護する

Safariでは個人情報を保護する機能がたくさんあります。特に有効にしておきたいのはトラッキングの停止を求める機能です。有効にするとユーザーのウェブ閲覧履歴にもとづいた広告をできるだけ表示しないようにしてくれます。「Safari」メニューから「設定」→「プライバシー」と進み、「サイト越えトラッキングを防ぐ」にチェックを入れましょう。

---

③ スマート検索フィールドで お気に入りのページを表示

スマート検索フィールドをクリックすると、お気に入りに登録済みのページがアイコン表示されます。クリックすれば該当のページに素早くアクセスすることができます。

④ 新しいタブのお気に入り一覧で 並び替えや削除をする

新しいタブを開いた際にも、お気に入りに登録したページが表示されます。ここではドラッグ&ドロップでページの並び替えを行ったり、右クリックしてメニューから「削除」することもできます。

⑤ スマート検索フィールドの 検索エンジンを変更する

スマート検索フィールドからキーワード検索を行う際の検索エンジンは、メニューバーの「Safari」→「設定」から「検索」を開き、「検索エンジン」のプルダウンメニューを開くと変更できます。

便利な最新機能「タブグループ」を使ってみよう

よく開くページは タブグループに追加しよう

ブラウザを使っているとタブが増え使いづらくなってきます。そんなときは「タブグループ」で整理しましょう。タブをグループに分類することで管理しやすくなります。グループは複数作ることができ、好きな名前を付けることもできます。

1 タブを タブグループに

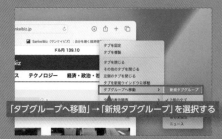

「タブグループへ移動」→「新規タブグループ」を選択する

タブグループに追加したいタブを右クリックして、「タブグループへ移動」から「新規タブグループ」を選択します。

2 タブグループの 名前を付ける

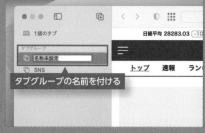

タブグループの名前を付ける

サイドバーにタブグループが作成されます。初期設定では「名称未設定」になっていますが、クリックしてタブグループに名前を付けることができます。

3 タブグループと通常の タブバーを切り替える

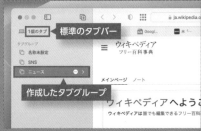

標準のタブバー

作成したタブグループ

作成したタブグループ名をクリックするとそのタブが開きます。元のタブバーに戻る場合は「○個のタブ」をクリックしましょう。

4 ほかのタブを作成した タブグループに追加する

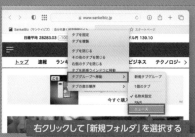

右クリックして「新規フォルダ」を選択する

ほかのタブを作成したタブグループに追加したい場合は、右クリックから「タブグループへ移動」で作成したタブグループ名を指定しましょう。

5 右クリックから タブグループを編集する

タブグループを右クリックする

作成したタブグループの名称を変更したり、削除したい場合は、右クリックメニューから行いましょう。

！ここが ● ポイント

ブックマークをそのまま タブグループにできる

ブックマークに登録しているサイトをタブグループに直接追加することもできます。さらに、ブックマークフォルダごと追加することも可能で、追加すればクリック1つでフォルダ内のサイトをタブで展開することができ便利です。

ブックマーク上で右クリックして「タブグループに開く」を選択する。

タブグループは共有することもできる

作成したタブグループはAppl IDを利用しているほかのユーザーと共有することができます。グループワークなどで、自分が普段閲覧しているサイト情報をまとめて伝えたいときに便利です。共有状態にあるタブグループには共有アイコンがつきます。また、共有状態になるとSafari右上に共有アイコンが追加され、共有アイコンからFaceTimeを使って素早くオーディオ通話やビデオ通話、メッセージのやり取りができます。

1 タブグループを共有 をクリック

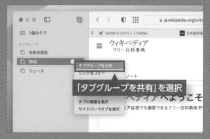

「タブグループを共有」を選択

サイドバーから共有したいタブグループ横にあるメニューボタンをクリックして「タブグループを共有」を選択します。

2 共有アイコンから 相手とコミュニケーション

共有アイコンをクリック

共有状態にあるタブグループにはSafari右上に共有アイコンがつきます。クリックするとメニューが表示され、共有相手とメッセージ、FaceTimeオーディオ、ビデオでのやり取りができます。

あとで読みたい記事を一時的に保存できるリーディングリスト

お気に入りが頻繁にアクセスするページを登録しておく機能なのに対して、リーディングリストはあとで読みたい記事を一時的に保存しておくのに最適な機能です。フォルダでの整理や並び替えなどはできないため、確認が終わった記事は削除するように心がけましょう。

1 Safariで開いたページをリーディングリストに追加

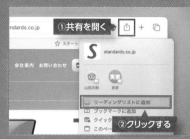

リーディングリストに追加したいページを開いた状態でツールバーの「共有」アイコンをクリックします。メニューが表示されるので「リーディングリストに追加」を選択しましょう。

2 サイドバーを表示してリーディングリストを選択

サイドバーをクリックして開き、「リーディングリスト」を選択しましょう。

3 リーディングリストから確認したい項目を選択する

リーディングリストに追加したページが新しい順に並んでいます。内容を確認したい項目をクリックして開きましょう。

4 項目を右クリックすれば新しいタブでも開ける

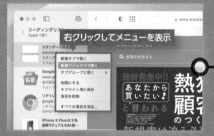

項目を右クリックすると、新規タブや新規ウインドウで開くこともできます。また、一度開いた項目を未読にすることもできます。

CHECK!!

リーディングリストは一時保存 不要になった項目は削除する

内容を確認して不要になった項目をそのままにしておくと、必要な項目がわかりにくくなってしまいます。不要になった項目は右クリックし、メニューから「項目を削除」を選択して削除してしまいましょう。

Safariはパスワード作成もしてくれる

Safariでは、Webサービスなどで会員登録をする際に設定するパスワードを自動で作成してくれます。その機能を使えば、ログイン時には入力フォームをクリックするだけで、作成したパスワードを入力してくれるので自分で覚えておく必要もありません。セキュリティ的に強力なパスワードが作成されるので安心です。以前からある機能ですが、Venturaでは、生成されたパスワードを編集できるようになりました。

1 パスワード入力フォームをクリックする

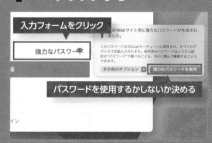

アカウント作成画面にあるパスワード入力欄をクリックすると自動でパスワードを作成してくれます。使用する場合は「強力なパスワードを使用」をクリックしましょう。

2 「その他のオプション」を選択する

強力なパスワードを編集したい場合は、「その他のオプション」をクリックして、「強力なパスワードを編集」を選択する。

3 パスワードを編集する

作成され入力されたパスワードが編集できるようになります。自分である程度覚えやすい文字列を組み込みましょう（関連情報は91ページにあり）。

Gmailも簡単に登録して使える
使いやすい標準メール

扱いやすいのに高機能だから多くのユーザーが愛用する

メールを送受信するための標準アプリは、その名もズバリ「メール」です。メールトレイ、メール一覧、メールの詳細というシンプルな3ペインのインターフェイスは、さまざまなメールクライアントで採用されている形式。iOSの「メール」アプリとよく似たインターフェースなので、iPhoneユーザーは使いやすいでしょう。

iCloudメールや各インターネットプロバイダーから取得したメールのアドレスはもちろん、Gmailアドレスもアカウントの入力だけで登録できます。また、メールに写真を添付して送信する際には、相手の環境にあわせて写真を圧縮する機能も備わっています。これさえあれば、ほかのメールクライアントは不要です。

iOSライクな洗練されたメールクライアント

連絡先と連携

連絡先に登録したアドレスは、宛先に氏名を入力すれば呼び出せます。

さまざまなアカウントを登録

iCloudやGmailのアカウントを登録してメールの送受信ができます。プロバイダーのメールももちろん登録可能です。

送信を取り消す機能

メールを送信した直後であれば送信を取り消すことができるようになりました。間違って送信ボタンを押してしまったときに使いましょう。

はじめに覚えたいメールの送信方法と受信メールの管理

① 新しいメッセージの作成ウィンドウを開く

メールを起動したら、右ペインのツールバーにある「新規メッセージを作成します」をクリックします。また、メニューバーの「ファイル」、「新規メッセージ」からも同様にウインドウを開くことができます。

クリック

② 連絡先の登録情報から宛先を呼び出して入力する

新規メッセージウインドウが開いたら、宛先を入力しましょう。直接メールアドレスを入力することもできますが、「連絡先」に登録されている氏名を入力して、アドレスを呼び出すのが便利です。

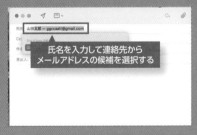

氏名を入力して連絡先からメールアドレスの候補を選択する

③ 件名と本文を入力してメッセージを送信しよう

宛先を入力したら、続けて「件名」や「本文」を入力しましょう。同じメールを別の宛先にも同送したい場合には「Cc:」に追加、複数のアドレスを登録している場合には「差出人」で変更できます。

メッセージを送信する

Googleアカウントの入力だけで
メールにGmailが登録できる

Gmailは無料でアドレスを取得できるため、多くのユーザーが利用しているウェブメールです。メールにはアカウント情報の入力だけで登録が可能で、ブラウザを開かなくてもメールの送受信ができるようになります。この手順ではあわせて連絡先やカレンダーなども同期できます。

1 メールアカウントの追加画面を開いてGoogleを選択する

メニューバーの「メール」から「アカウント追加」をクリックします。メールウインドウ上にプロバイダの選択画面が表示されるので、「Google」を選択しましょう。

2 Gmailのアドレスとパスワードを入力する

画面の表示にしたがって、Googleのメールアドレスとパスワードを入力しましょう。メールアドレスの入力時には「@gmail.com」は不要です。それぞれ入力したら「次へ」をクリックします。

3 Macのアプリと同期するGoogleサービスを選択

Googleアカウントで利用できるサービスのなかから、Macに同期したいサービスをチェックします。「連絡先」を同期しておけば、宛先を簡単に入力できるようになるのでおすすめです。

4 メールアドレスが追加されてメールが読み込まれる

手順3で「完了」をクリックすると、Gmailのアドレスが追加されます。アカウントで受信しているメールは自動的に読み込まれます。メールを確認する際は左から該当するアドレスを選びましょう。

CHECK!!

登録したアカウントを削除するには

「メール」アプリに登録したアカウントを削除する場合は、メニューの「メール」の「アカウント」を開き、削除したいアカウントを選択して削除ボタンをクリックしましょう。

！ここが ● ポイント

大きすぎる添付写真も
事前の縮小は必要なし！
3種類からサイズを選ぼう

Macのメールは、ドラッグ&ドロップでファイルを添付することができますが、送信相手がサイズの大きな添付ファイルを受信できない場合には、写真を添付後に「イメージサイズ」メニューを開き、サイズを圧縮しましょう。圧縮レベルは「大／中／小」から選択できます。イメージサイズを決定すると右側に圧縮後のサイズが表示されますので、確認が可能です。

添付ファイルのサイズを選択

④ 受信メールを選択した際の操作を確認しよう

受信したメールを選択しているときには、ツールバーのアイコンで返信や転送、ゴミ箱への移動、フラグを付けるといった操作ができます。フラグは7色あり、重要なメールの目印に使えます。

アーカイブに追加

フラグを付ける

メッセージの削除／迷惑メールに移動

差出人に返信／すべての受信者に返信／転送する

CHECK!!

ゴミ箱とアーカイブはどう使い分ければいい？

「ゴミ箱」は不要なメールの移動先で、いずれは削除を行います。一方で「アーカイブ」は確認済みのメールの保存場所です。削除はしたくないが受信箱にあるとジャマなメールはアーカイブに移動しましょう。

⑤ メールの文末に名前やアドレスなどの署名を挿入

メニューバーの「メール」、「設定」の「署名」タブで、メール本文の後に表示する署名を設定することができます。アドレスごとに異なる署名を作成できるので、用途にあわせて編集しましょう。

① 署名を開く
② アドレスを選択
③ 署名を作成する

写真の管理や編集なら iPhoneと連動した写真が便利

管理だけじゃなく 簡単なレタッチにも対応

　モバイル端末に搭載されているカメラ機能の向上により、以前にも増して写真を残すことが多くなりました。そこで悩ましいのが写真の管理。しかしMacに標準搭載されている「写真」を使えば、撮影した写真の転送や管理だけでなく、ちょっとした加工も簡単に行えるようになります。

　また、このアプリはiPhoneとの親和性が高く、MacとiPhoneの両方のiCloud機能を有効にすることで、簡単に写真の同期ができるようになっています。携帯端末の容量を大きく圧迫する原因になってしまいがちな写真ですが、iCloudを経由して同期すれば、端末内のデータは少なくなります。膨大な写真を快適に管理できる優秀なアプリと言えます。

モバイル端末の写真も ここに集約される

共有メニュー

他のアプリと共有するなら、この機能を使うのが有効です。

写真データの同期

Appleデバイス同士なら、iCloudを経由して快適に写真データを同期できます。iCloud写真については、84ページで解説しています。

写真の非表示設定

最近削除した写真や非表示にしたい写真にパスワードを設定できます。人に見られたくない写真があっても安心です。

レタッチ機能

写真の管理だけでなく、簡単なレタッチ機能も搭載されています。

写真のレタッチやトリミングを行う

① 写真を選択して 編集モードに切り替える

レタッチしたい写真を選択したらダブルクリックします。右上にある「編集」ボタンをクリックすると編集モードに切り替わります。

② 編集モード時の 表示と使い方をマスター

編集モードではウインドウ内の表示が変化します。主要なレタッチメニューはウインドウ右に集約されており、編集の完了時はウィンドウ右上のボタンから通常表示に戻ることができます。

CHECK!!

編集内容を コピーできるようになった

写真を右クリックすると表示されるメニューから「編集内容をコピー」をクリックし、その後ほかの写真を開いて「編集内容をペースト」をするとレタッチ設定を簡単にコピーできます。

iPhone内にある写真を素早くインポートしよう

写真では、iPhoneで撮影した写真を読み込んで管理、バックアップすることができます。手順はとても簡単で、ケーブルでMacに接続し、写真を起動したら、すべての写真を読み込むか、任意の写真を読み込むかを判断すればOKです。

1 iPhoneなどを接続して端末を選択する

Macとモバイル端末を接続したら、サイドバーに表示されている端末名をクリックします。

2 新しい写真を全て読み込むならボタンひとつでOK

以前の接続のあとで撮影した写真をまとめて読み込むならこちらをクリック。写真の数が多い場合は、読み込みに時間がかかることがあります。

3 特定の写真を選択して読み込みを行う

任意の写真だけを読み込む場合には、写真にチェックを入れて読み込みを行います。

4 読み込みが完了したら「ライブラリ」から確認

読み込んだ後はサイドバーの「ライブラリ」を選択すると確認することができます。

CHECK!!

重複した写真を削除する

サイドバーにある「重複項目」をクリックするとライブラリ内から重複している写真を表示でき、また、無駄と思われる写真を削除できます。画質の悪い重複写真を効率よく削除するときに便利です。

！ここがポイント

非表示や削除済み写真にロックをかけよう

ほかの人に見られたくない写真がある場合は非表示に設定しましょう。方法は、非表示にしたい写真を右クリックしてメニューから「非表示」を選択します。写真だけでなくアルバム単位で非表示にすることもできます。選択された写真は見えなくなりますが削除はされません。非表示にした写真を表示したい場合は、メニューの「表示」から「非表示アルバムを表示」を選択すると、サイドバーのライブラリに「非表示」項目が追加されるので、それを開きましょう。

写真を右クリックして「非表示」を選択する

アルバムを作成して写真を分類する

アルバムで賢く整理すれば探すのも見返すのもらくらく

膨大な写真データは、ただ保存しておくだけでは不十分です。アルバムなどでしっかり分類しておけば、目的の写真を探し出す時や、スライドショーなどを作成する場合も非常にスムーズになるのでオススメです。また、ここで作成したアルバムは、モバイル端末でも見られます。

1 サイドバーの「マイアルバム」を右クリックして新規作成する

サイドバーに表示されている「マイアルバム」という項目を右クリックすると、フローティングメニューから新規作成することができます。最初にアルバム名を入力しましょう。

2 写真を選択してアルバムに追加すればOK

アルバムに写真をまとめて追加するには、写真を複数選択した状態で右クリックし、「追加」から追加先のアルバム名を選択しましょう。

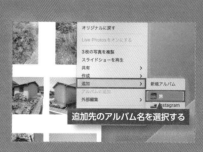

追加先のアルバム名を選択する

画像やPDFの編集に欠かせない 標準アプリのプレビュー

画像の編集もPDFの編集も標準アプリだけで十分！

　Macで画像やPDFをダブルクリックした際に起動するビューアアプリ「プレビュー」は、非常に多機能です。画像であればリサイズ、色調補正、フォーマット変換などが行えます。PDFであれば注釈、ページの分割、結合、入れ替えなどが行えます。動作も非常に軽快でメモリ負担も少ないので、ちょっとした編集であれば専用のレタッチアプリを使うよりもはるかに役立つでしょう。

　インターフェースもシンプルで、ウインドウ上部にあるツールバーからほとんどの作業が行なえ、編集したファイルはほかのアプリやサービスに素早く転送することができます。

Macで定番の ビューアアプリを使いこなそう

プレビューのインターフェース

サイドバー
ツールバー左端のボタンをクリックするとPDFのページをサムネイルで表示します。書き加えた注釈を一覧表示したり、ブックマーク、コンタクトシートなども表示できます。

ツールバー
表示しているファイルを拡大したり、回転したりできます。

クリックして拡大・縮小

クリックして回転

マークアップボタン

フォームの入力ツールバー
名前や住所など入力フォームのあるPDFを開く際は、フォームの入力ツールバーを利用しましょう。テキストや署名の入力が楽になります。

クイックルックとプレビューを使い分けよう
画像やPDFを選択した状態でスペースキーをクリックすると「クイックルック」というビューアが起動します。プレビューより起動が高速な上、矢印キーを使ってファイルを切り替えることができます。ファイル内容をちら見するときに便利です。

マークアップバー
ツールバーにあるマークアップボタンをクリックすると表示され、普段は非表示になっています。リサイズ、明るさ調整、色調補正、注釈などさまざまな編集が行なえます。

縦横比を維持したまま画像のサイズを変更する

①　「ツール」から「サイズを調整」をクリック

プレビューで開いている画像の縦横比を維持したままサイズ変更できます。メニューの「ツール」から「サイズ調整」をクリックしましょう。

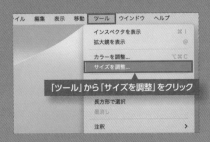

「ツール」から「サイズを調整」をクリック

②　「縦横比を固定」にチェックを付ける

「縦横比を固定」にチェックを付けたあと、「幅」もしくは「高さ」のどちらかの数値を変更すると、自動的にもう一方の数値も変更します。

②数値を変更する

①チェックを付ける

CHECK!!

オリジナルファイルが変更されてしまうのを防ぐには?

　プレビューではレタッチしたファイルを別名で保存しても、オリジナルファイルまでレタッチされます。「システム設定」→「デスクトップとDock」→「書類を閉じる〜」にチェックを入れることで、変更を防ぐことができます。

Macで音楽ファイルを再生・管理する「ミュージック」

iTunesアプリが廃止され「ミュージック」アプリに変更

「ミュージック」アプリは、通常のプレイヤーと異なり音楽ファイルを管理するライブラリや音楽CDをインポートする機能を搭載しています。ライブラリを使えばMac上にある音楽ファイルを一元管理でき、登録した楽曲からプレイリストを作成できます。

また、Appleの音楽配信サービス「Apple Music」を視聴する際にも「ミュージック」アプリを利用する必要があります。Apple Musicは、1ヶ月間無料、その後は月額1,080円で1億曲以上の楽曲が聴き放題のサービスです。iPhoneやほかのAppleデバイスですでにサービスを利用している場合は、同じApple IDでログインすることでMacからでも視聴することができます。最新の「ミュージック」アプリでは「お気に入り」機能が追加されました。好きなアーティストをお気に入りに追加すると、「今すぐ聴く」からすぐにお気に入りのアーティストにアクセスしたり、よりユーザーの好みにあった楽曲を提示してくれます。

「ミュージック」アプリのインターフェースを把握しよう

ライブラリ
Apple Musicから追加した楽曲や音楽CDからインポートした楽曲を一元管理できるライブラリです。アーティスト、アルバム、ミュージックビデオなどさまざまな形式で整理できます。

Apple Music
「今すぐ聴く」「見つける」「ラジオ」はApple Musicのコンテンツです。Apple Musicの利用は有料で月額1,080円を支払う必要があります。

プレイリスト
ライブラリ上にある音楽ファイルから作成したプレイリストが表示されます。

コントロールバー
選択した楽曲やアルバムの再生、停止、リピート再生、シャッフル再生、音量調節が行えます。

音楽CDをインポートしてライブラリに登録する

① ミュージックの読み込み設定を変更する

音楽CDをインポートする場合、事前に読み込み設定を調整しておきましょう。メニューの「ミュージック」から「設定」を開き、「ファイル」タブを開き、「読み込み設定」をクリック。

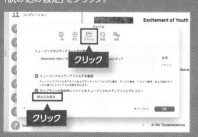

② ファイル形式を選択する

読み込み方法のプルダウンメニューからインポート時のファイル形式を指定します。設定したら「OK」をクリックします。通常はデフォルトのAACエンコーダーのままで問題ありません。

③ 音楽CDをセットしてインポートする

設定が終わったらドライブに音楽CDを挿入します。「デバイス」にCDの名前が表示されるのでクリックします。自動的に楽曲がインポートされます。

※現在発売されているMac本体には、基本的にCDドライブが装備されていないので、CDをインポートするにはApppple Super Driveなどの外部CDドライブを入手する必要があります。

一見シンプルだが超多機能なメモを使いこなそう

あらゆる情報をサクッと保存してiPhoneと同期する

Macに標準搭載されている「メモ」アプリはシンプルですが非常に多機能です。iPadやiPhoneを使っていれば、iCloudを経由してメモを同期して外出先でメモ内容を確認できます。ほかのアプリとの連携性も高く、Safariで閲覧しているページ内容やマップアプリで開いている地図情報をメモに直接取り込んで保存できます。

作成したメモは、フォルダで内容ごとに分類したり、内蔵の検索機能を使って素早く保存したメモを探すことができます。

また、「クイックメモ」を使えば、どんなときでもデスクトップ右下から素早くメモを引出してメモを取ることができます。ほかに、ハッシュタグとキーワードを組み合わせてメモを検索することができたり、指定した条件でメモを整理するスマートフォルダなど便利な機能が満載です。

Mac標準メモアプリのインターフェースをチェックしよう

クイックメモ
「クイックメモ」で作成したメモは、通常のメモのほかにこちらに分類表示されます。

メモ一覧
フォルダを選択するとそのフォルダ内に保存されているメモが一覧表示されます。メモを選択すると右側に内容が表示されます。メモはドラッグ&ドロップでフォルダ間を自由に移動できます。

新規メモ作成
新しいメモを作成したい場合は、新規作成ボタンをクリックしましょう。

ビューア
選択したメモ内容が表示され、メモ内容を編集することができます。右クリックメニューからテキストにさまざまな装飾をかけることができます。

フォルダ
作成したメモはフォルダを作成して分類することができます。iCloudで共有するフォルダと現在使用しているデバイス専用のメモを分類することもできます。

タグ
メモに追加したタグ一覧表示されます。タグ名をクリックするとそのタグが追加されているメモだけをフィルタリング表示してくれます。

フォルダを作ってメモを整理しよう

①「新規フォルダ」からフォルダを作成する

フォルダを作成するには、メニューの「表示」から「フォルダを表示」を選択して、下にある「新規フォルダ」から「フォルダ」をクリックして、フォルダ名を入力します。

② スマートフォルダでメモを整理する

新規フォルダ作成時のメニューで「スマートフォルダに変換」にチェックを入れると、指定した条件に当てはまるメモを自動でフォルダに整理することができます。

条件を指定する

③ 作成したメモをフォルダに分類する

作成したメモを別フォルダに整理するには、メモを直接フォルダにドラッグ&ドロップしましょう。複数のメモを選択した状態でまとめて移動もできます。

ドラッグ&ドロップ

さまざまな情報を メモに貼り付けて保存する

メモはテキストだけでなくあらゆる情報を貼り付けることができます。画像や動画などファイルの多くはドラッグ&ドロップで簡単に貼り付けられます。またSafariやマップなどほかのアプリで開いているコンテンツも貼り付けることができます。

1 ファイルをメモに ドラッグ&ドロップする

ドラッグ&ドロップ

メモに画像を埋め込むには、画像を直接ドラッグ&ドロップするか、埋め込みたい場所をクリックして、右クリックメニューから読み込みましょう。

2 iPhoneから 撮影して読み込む

iOS 12以降の端末を利用していれば、メモ本文を右クリックして、iPhoneやiPadで撮影した写真やスケッチを読み込むことができます。

3 Safariで開いている ページをメモに貼り付ける

メモを選択

Safariで開いているページをメモに貼り付けたい場合は、共有ボタンをクリックして「メモ」を選択します。

4 保存先のメモを 指定する

保存先を指定する

「メモを選択」から保存先のメモを選択して、「保存」をクリックすればページを保存することができます。保存するページに対してコメントを付けることもできます。

CHECK!!

選択範囲を指定して クイックメモに保存する

開いているページから一部のテキストやコンテンツだけメモに保存したい場合は、該当する部分を範囲選択した状態で右クリックし、クイックメモに追加を選択しましょう。

! ここが ● ポイント

ハッシュタグを つけて整理できる

メモ本文内で「# (シャープ)」から始まるキーワードを入力するとそのメモにタグが追加されます。タグを使ってメモを探すにはフォルダ画面を開きます。メニュー下の「タグ」という項目にこれまで追加したタグが一覧表示されるので、タグ名をクリックしましょう。そのタグがついたメモを絞り込み表示してくれます。

#プライベート
「#」を入力したあと、メモに関するキーワードを入力する

▌クイックメモを使ってメモを取ろう

1 画面右下に カーソルを当てる

クイックメモを利用するには、Macの画面右下にマウスカーソルを移動させます。するとクイックメモが少し表示されるので、クリックします。

カーソルを右下に移動する

2 クイックメモが 起動する

クイックメモが起動するので、メモしたいことを入力しましょう。作成したメモはフォルダの「クイックメモ」に保存されます。

CHECK!!

起動するたびに 新しいメモを作成するには?

メニューの「設定」で「常に最後のクイックメモを再開」のチェックを外すと、クイックメモを起動するたびに新規メモが作成できるようになります。

iPhoneと同じように使える
メッセージ

iPhoneやiPadのメッセージをMac上で同期する

「メッセージ」アプリは、iMessageサービスを利用してMac上でチャットができるアプリです。iOSの「メッセージ」アプリと同期することができるのが特徴で、iPhoneやiPadで受信したメッセージ内容を表示できるほか、Mac上から直接メッセージを送信することもできます。なお、iPhoneを所有していてSMS／MMSを利用していれば、SMS／MMSメッセージも送信することも可能です。

macOS Venturaでは、メッセージ送信後、2分以内であれば送信を取り消すことができます。また、メッセージの送信後15分以内であれば、最大5回まで、メッセージ内容を編集することもできます。

メッセージのインターフェイスをチェックしよう

会話リスト
過去にメッセージでやり取りした相手の名前が一覧表示されます。最近やり取りした相手が上から順に表示されます。

会話ウインドウ
メッセージでやり取りした内容が表示されます。上にさかのぼるほど内容が古くなります。自分のメッセージが右側、相手のメッセージは左側に表示されます。

入力ウインドウ
相手に送信するメッセージを送信する際はこの入力ウインドウをクリックし、内容を入力しましょう。

Apple IDにサインインする必要がある

メッセージを利用するには事前にApple IDでサインインしておく必要があります。Macの初期設定でApple IDを設定している場合は標準でサインインした状態になっていますが、まだサインインしていない場合は、メニューの「設定」→「iMessage」画面からサインインしておきましょう。

Apple IDにサインインする

メッセージでさまざな情報を送信しよう

① 新規メッセージを作成する

ウインドウの上部にある新規メッセージのボタンをクリックし、メッセージを送信する相手の名前、メールアドレス、または電話番号を入力しましょう。候補が表示されたら候補をクリックします。

①クリック
②相手の名前、メールアドレス、または電話番号を入力する

② テキストや写真を送信する

チャットウインドウ下にある入力フォームにメッセージを入力しましょう。写真をドラッグ&ドロップで添付したり、顔文字を送信することもできます。

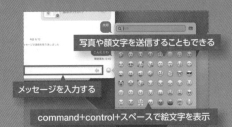

写真や顔文字を送信することもできる
メッセージを入力する
command+control+スペースで絵文字を表示

③ 音声録音を送信する

音声を録音したファイルを送信することもできます。入力フォーム横の音声録音のボタンをクリックして、メッセージを録音しましょう。

音声ボタンをクリックして話しかける

自分の情報やグループをカスタマイズする

メッセージアプリの送信者プロフィールは標準だとMacに設定した名前になってしまいます。ほかの名前に変更したい場合は、メニューバーの「メッセージ」の「設定」から行いましょう。また、設定した名前や写真をほかの人と共有するかどうかを選択することもできます。

1 設定画面を開く

メニューバーから「メッセージ」→「設定」の順に選択して「一般」タブを開きます。「名前と写真の共有」の設定をクリックします。

2 アイコン写真を設定する

まずはアイコンの写真を設定しましょう。写真やミー文字から利用するアイコンをクリックするとアイコンが変化します。設定したら「完了」をクリックします。

3 名前を設定する

続いて相手の「メッセージ」アプリに表示させる名称を設定しましょう。「自動的に共有」で「連絡先のみ」に指定すると、相手の「連絡先」に自動的に名称が共有されます。

4 共有の設定をする

設定画面の「あなたと共有」タブでは、「あなたと共有」で共有するコンテンツの選択ができます。

CHECK!!

「あなたと共有」とは

「あなたと共有」にあるコンテンツをメッセージで送受信すると、各コンテンツは自動的に対応しているアプリに保存されます。たとえば、メッセージでURLを送信するとSafariの「お気に入り」にURLが表示されます。

ここがポイント

削除したメッセージを復元する

メッセージは右クリックから削除することができますが、削除したメッセージは30日以内であれば復元することもできます。メニューバーの「表示」から「最近削除した項目」をクリックすると削除したメッセージが一覧表示されるので、復元したいメッセージを選択しましょう。「復元」をクリックするとメッセージを復元できます。

メニューバーの「表示」から「最近削除した項目」をクリック

④ ミー文字やメッセージエフェクトを追加する

ミー文字ステッカー、GIF、メッセージエフェクト（風船、紙吹雪など）を送信するには、追加ボタンをクリックします。この機能は、macOS Big Sur以降で利用できます。

⑤ 送信を取り消す

送信したメッセージを取り消ししたい場合は、メッセージを右クリックして「送信を取り消す」を選択しましょう。送信後2分以内であれば取り消すことができます。

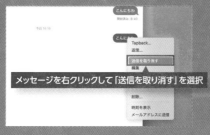

メッセージを右クリックして「送信を取り消す」を選択

⑥ メッセージを編集する

送信したメッセージを編集したい場合は、メッセージを右クリックして「編集」をクリックし、メッセージを編集しましょう。

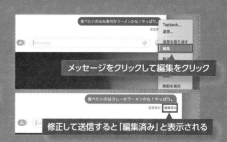

メッセージをクリックして編集をクリック

修正して送信すると「編集済み」と表示される

※ミー文字……自分の表情の動きに合わせてキャラクターの動きが変わる文字で、iOS機器、Macで作成できます。

無料でHDビデオ通話と高音質通話ができるFaceTime

利用しているAppleIDと着信用メルアドを登録するだけ

　FaceTimeは、Apple IDを利用して他のMacやiPad、iPhoneと無料でビデオ/音声通話が利用できるアプリです。面倒な手続きはいらず、Apple IDを登録するだけで互いのメールアドレスを電話番号のようにして、すぐに使えるのが大きなメリットです。相手がFaceTimeアプリを利用していれば電話番号で直接やり取りすることもできます。

　「映像+音声」のFaceTimeか、「音声のみ」のFaceTimeオーディオの2種類の通話が利用できます。ビデオ通話はHD品質に対応し、FaceTimeオーディオはノイズのない高音質な通話が楽しめます。また、複数のMacやiOSデバイスを所有していれば、FaceTimeの着信をどの端末からでも受けることができます。

FaceTimeのインターフェイスをチェックしよう

相手のカメラ
相手のカメラに写っているものがFaceTimeウインドウに大きく表示されます。

スクリーンキャプチャ
クリックするとスクリーンキャプチャができます。

メニュー
左から「相手の情報」「音声ミュート」「ビデオのオフ」「メニューバーのFaceTime」「終了」

iPhoneからMacに切り替える
メニューバーのFaceTimeアイコンをクリックし、「切り替え」をクリックすると、iPhoneで通話中のFaceTimeをMacのFaceTimeに切り替えることができます。

連絡先から起動する
相手の名前を選択したら、「FaceTime」からオーディオアイコンかビデオアイコンをクリックしましょう。

自分のカメラ
自分が相手にどのように写っているか表示されます。

Apple IDを登録してビデオ&音声通話する

① FaceTimeで利用するメールアドレスを設定する

FaceTimeを起動し、Apple IDの登録を求められたら、アカウントを入力してログインします。設定を開き、送受信アドレスを確認すればアドレス設定は完了です。

② 検索フォームに相手のアドレスを入力

FaceTimeを起動したら「新規FaceTime」をクリック。検索フォームに相手のメールアドレスや名前を入力しましょう。

③ FaceTimeで通話を行う

通話が始まります。「FaceTimeオーディオ」は音声のみの通話で、ビデオ通話よりも音質がクリアなのが特徴です。「ビデオ」をクリックするとビデオ通話に切り替わります。

FaceTimeの新機能を使ってみよう

　macOS MontereyからFaceTimeにさまざまな新機能が追加されていますが、ここでは代表的な5つの新機能を紹介します。背景をぼかしたり、音声をオフにするなどプライベートな部分を隠す機能が追加されています。

1 ポートレート機能を使う
（※M1チップのMac対応）

クリック

ポートレイト機能を有効にすると背景をぼかすことができ、自分のプライベートな部屋を隠すことができます。FaceTimeの自分のカメラを開きポートレイトアイコンをクリックしましょう。

2 マイクのモードを切り替える

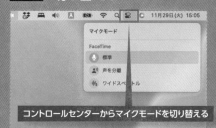

コントロールセンターからマイクモードを切り替える

FaceTime起動中にコントロールセンターを起動するとマイクモードが現れます。「声を分離」では周囲の雑音を遮断し、「ワイドスペクトル」では逆に周囲の音声も拾うようになります。

3 グループ通話の際はグリッド表示にできる

クリック

FaceTimeで4人以上の人とグループ通話をしているときにグリッド表示が利用できるようになります。画面の右上に表示されるグリッドをクリックしましょう。

CHECK!!

通話中にほかの人を追加するには？

　FaceTimeで通話中にほかの人をその通話に参加させるには、FaceTimeメニューのサイドバーボタンをクリックし、サイドバーで追加ボタンをクリックして相手の名前やメールアドレスを入力しましょう。

4 画面を共有する

画面共有ボタンをクリック

メニューバーのFaceTimeアイコンをクリックし、画面共有ボタンをクリックするとMacのデスクトップを撮影して相手に送信できます。

! ここがポイント

FaceTimeで会話しながらコンテンツを楽しむ「SharePlay」

　Apple TVやApple Musicなど自分のMacで視聴しているコンテンツを相手と共有する新機能「SharePlay」機能は便利です。FaceTimeで会話しながら、お気に入りのビデオや音楽などのメディアを同時に視聴して楽しむことができます。通話中のユーザーなら誰でも、視聴中のコンテンツを一時停止、再生、スキップすることもできます。FaceTime使用中にコンテンツを再生してみましょう。

「SharePlay」をクリック

FaceTimeはAndroidユーザーともビデオ通話できる

　FaceTimeはこれまでAppleユーザー間同士専用の通話アプリでしたが、AndroidやWindowsなどほかのOSのユーザーともビデオ通話できます。ビデオ通話するにはFaceTimeの新機能「リンクを共有」機能を利用しましょう。「リンクを共有」で招待用のURLを作成したあと、メールなどで通話したい相手と共有しましょう。メールを受け取ったユーザーは記載されているURLをクリックすることでブラウザからFaceTimeに参加できます。

1 リンクを作成から相手を招待する

「リンクを作成」をクリック

FaceTimeアプリを起動したら「リンクを共有」をクリック。続いて相手に伝える方法を選択しましょう。

2 ブラウザ経由でFaceTimeを起動する

通話用URLが作成されるので、選択した方法で相手にURLを送信しましょう。相手がURLをタップするとブラウザが起動して、ブラウザ経由でFaceTimeが利用できます。

「マップ」で世界中の スポットを検索しよう

目的地までの電車、車徒歩での詳細経路を調べる

「マップ」アプリは世界中のスポット情報を調べるのに便利なアプリです。都市名や地名を入力するとその場所周辺の地図を素早く表示してくれます。レストラン、店舗名、企業名を入力して、施設情報を知ることもできます。

検索結果画面で表示される経路ボタンをクリックすると、現在地からその場所までの最短経路、および予想される時間と距離が表示されます。経路は複数表示され、クリックすると詳細な情報が表示されます。標準では電車など交通機関を利用した経路が表示されますが、徒歩や車を使った経路に切り替えることができ、自身の移動環境に合わせた経路を知ることができます。

新しい機能では、目的地までの間に利用する経由地を複数追加してルートを検索したり、利用する交通機関の選択肢が増えました。

「マップ」アプリのインターフェースを把握しよう

サイドバー
サイドバーをクリックすると表示されます。検索ボックス、Siriからの提案、検索履歴、よく使う項目などを一覧表示できます。

現在位置情報を表示する

マップの表示スタイル
地図の表示方法は車道経路を表示する「詳細マップ」、電車の経路を表示する「交通機関」、航空衛星写真で表示する「航空写真」運転時に役立つ交通情報を表示する「ドライブ」の4種類が用意されています。

経路検索
クリックすると経路検索画面が表示されます。「出発」と「目的」に地名を入力すると経路情報が複数表示されます。クリックすると地図上に経路が表示されます。

3D
クリックすると地図が少し斜めに傾き、建物を立体的に表示できます。

Look Around
指定した付近の写真を表示できます。写真をクリックすると双眼鏡の向いている方向に進んで写真を切り替えてくれます。

目的地までの経路や金額を細かく検索する

① 目的地までの間に経由地を設定できる
「マップ」の特徴は、目的地までの自動車でのルートを調べる際は、経由地を複数指定できることです。利用したいルートをより細かく検索できるようになりました。

「経由地を追加」で目的地までの経由地を指定する

② ドラッグして経由地や目的地の順番を変更する
追加した経由地や目的地の順番はドラッグして自由に入れ換えることができ、それによりルートも自動で変更されます。

ドラッグで入れ換える

③ 交通機関で検索すると金額が表示される
「交通機関」で経路検索をすると、経路だけでなく交通機関の運賃が表示されます。オプションから、自由席、グリーン席、指定席などを指定して運賃も細かく調べられます。

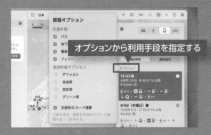

オプションから利用手段を指定する

5章

iPhoneやiPadを
Macと上手く使う

Mac LIFE WITH iOS

言うまでもないことかもしれませんが、iPhone、iPadとMacはとっても相性が良く、一緒に使えばさらに日々の生活を充実させることができるでしょう。家ではMac、外ではiPhoneを使えば、快適な同じ環境でさまざまな機能を利用できます。

Macの音楽や写真を iPhoneと同期する

Finderを使って 同期をしよう

　MacはiPhoneやiPadといったiOSデバイスと同期性が高いのが特徴です。すでにiOSデバイスを所有しているなら、Macと同期してみましょう。Windowsではi Tunesを利用していましたが、MacはFinderを使って同期します。なお、iTunesはミュージックという名前に変更されています。同期できるコンテンツは、音楽、動画、写真、ポッドキャスト、写真、着信音、ブックなど多様です。同期するには、事前にミュージックやApple TVなどMac標準アプリに同期したいコンテンツを登録し、MacとiOSデバイスをLightningケーブルで接続します。

　ほかにiCloudを通じてインターネット経由で同期する方法がありますが、FinderとiCloudでは同期できる内容が大きく違います。

MacとiPhone/iPadを 同期する方法を理解しよう

Finderを使って同期する

MacとiPhone/iPadをLightningケーブルで接続し、Finderを通じて同期する方法です。同期できるコンテンツはおもにMac標準アプリに登録したコンテンツです。

iCloudを使って同期する

Appleのクラウドサービス「iCloud」を通じてインターネット経由で同期します。同期するにはMacとiPhone/iPadで同じApple IDでログインする必要があります。

Finderで 同期できるコンテンツ

●ミュージックアプリ内のコンテンツ
●Apple TVアプリ内のコンテンツ
●写真アプリのコンテンツ
●ポッドキャストアプリで購読している コンテンツ
●ブックアプリ内のコンテンツ

iCloudで 同期できるコンテンツ

●Safariのお気に入り、メール、カレンダー、連絡先、リマインダー、写真（フォトストリーム、iCloud写真）、iCloudキーチェーン、iCloud Drive内のコンテンツ。

同期とは？
iOS機器とMacの間で、同じファイルを最新の状態に保つことです。違うデバイスを使っても同じファイルを楽しむことができます。

Mac上にあるコンテンツをiPhoneと同期してみよう

1 アプリにコンテンツを 登録する

iOSデバイスと同期するには事前にMacアプリに同期するコンテンツを登録します。ここではミュージックのライブラリに音楽ファイルを登録します。

ミュージックに楽曲を登録しておく

2 Finderを起動して iOSデバイスを選択する

MacとiOSデバイスをLightningケーブルで接続したあとFinderを起動します。サイドバーの「場所」の項目にiPhoneの名称が表示されるのでクリックします。

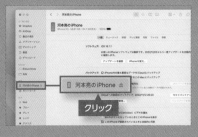

クリック

3 「ミュージック」タブを開き 同期する

ミュージックに登録した楽曲を同期するにはメニューから「ミュージック」を選択します。「ミュージックをiPhoneと同期」にチェックを入れて「適用」をクリックすると同期されます。

「ミュージック」をクリック

「ミュージックをiPhoneと同期」にチェックを入れる

「適用」をクリック

iPhoneと連携して外出先でコンテンツを楽しむ

Macから転送したiPhoneやiPadでの各種ファイルの保存場所を覚えておきましょう。音楽ファイルは「ミュージック」アプリの「プレイリスト」にあります。動画ファイルの場合は「Apple TV」アプリに保存されています。写真ファイルは「写真」に保存されています。

1 同期した音楽ファイルをiOSデバイスで再生する

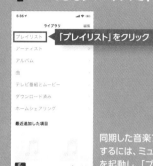

「プレイリスト」をクリック

同期した音楽ファイルを再生するには、ミュージックアプリを起動し、「プレイリスト」などをタップすると同期したコンテンツが表示されます。

CHECK!!

iCloud経由で音楽ファイルを視聴する

iTunes Storeで購入したことのある楽曲を視聴するなら、ミュージックよりもiCloudから対象楽曲をダウンロードするのもおすすめです。iCloud経由であればケーブルを使って手動で同期する手間が大幅に省けます。

2 同期した動画ファイルを視聴する

「Apple TV」アプリで視聴

Finder経由で同期した動画は「Apple TV」アプリに保存されており、また視聴することができます。

3 同期した写真を閲覧する

②「Macから」というアルバムをチェック

①「アルバム」を選択

Finderから転送した写真フォルダは「写真」アプリに保存されています。写真アプリを起動したら「アルバム」をタップしましょう。「Macから」というアルバムがあります。

4 ポッドキャストを視聴する

Macのポッドキャストアプリで購読している番組を同期して「Podcast」アプリを起動しましょう。ミュージックライブラリにはありません。

ここがポイント

Macから直接iPhoneのカメラにアクセスする

近くのiPhoneやiPadで撮影した写真を瞬時にMacにインポートして表示させることができます。AirDropよりも素早くファイル転送ができる上、直接「メモ」アプリや「メール」アプリなどの作成画面に貼り付けることができます。名刺や書類を撮影してMacに取り込みたいときに役立つでしょう。

「ファイル」→「iPhoneまたはiPadから挿入」を選択する

CHECK!!

音楽が同期できない場合は

「写真」や「ミュージック」を開いても同期できない場合は、iPhoneの「iCloudミュージックライブラリ」や「iCloud写真」をオフにしましょう。「設定」アプリからオフにできます。

④ 「映画」タブを開き動画を同期する

Apple TVに登録した動画を同期するにはメニューから「映画」を選択します。「映画をiPhoneと同期」にチェックを入れて「適用」をクリックすると同期されます。

「映画」をクリック

⑤ 「写真」タブを開き写真を同期する

写真アプリに登録した写真を同期するにはメニューから「写真」を選択します。「写真をiPhoneと同期」にチェックを入れて「適用」をクリックすると同期されます。

「写真」をクリック

iPhoneで撮影した写真を iCloud経由 で同期する

iCloud写真なら Macで写真が楽しめる！

iPhone/iPadで撮影した写真をMacに転送するには、Lightningケーブルで直接転送するほかに、iCloudを利用してインターネット経由でMacに転送する方法があります。iCloud経由で同期するにはMacとiPhone/iPadの両方で「iCloud写真」を有効にしましょう。カメラ撮影して「写真」アプリに保存されている写真が自動的にiCloudにアップロードされ、Macの「写真」アプリにプレビュー表示されるようになります。Mac側でプレビュー表示された写真をクリックするとダウンロードして開いたり、レタッチすることができるようになります。なお、Macの「写真」アプリに登録されている写真もiCloudにアップロードされます。アップしたファイルのサイズだけiCloudのストレージ容量を消費するので注意しましょう。

MacとiPhone/iPadの写真を 同期する方法を理解しよう

Finderを使って同期する

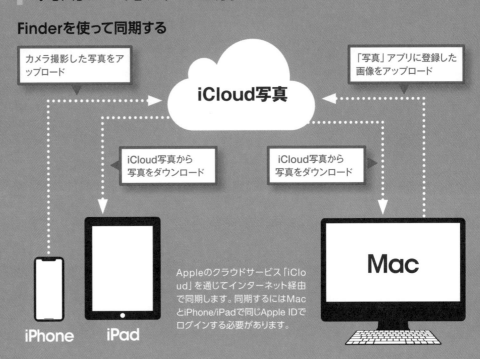

ストレージ容量	標準では5GBで、追加購入が可能
保存期間	無制限
保存枚数	契約しているストレージ容量内
iCloud.comでの閲覧	可能
Apple Watchでの閲覧	任意のアルバムのみ閲覧可能
アルバム名の同期	可能
写真の編集	互いのデバイスで同期される

iCloud写真でMacとiPhone/iPadの写真を同期しよう

1 iPhone/iPad側で 設定を有効にする

iPhone/iPad側で設定を行います。「設定」アプリの「写真」を開き、「iCloud写真」を有効にします。また「iPhoneのストレージを最適化」にチェックを入れておきましょう。なおiCloud写真を有効にするとMacから手動で同期した写真は削除されます。

2 Mac側で 設定を有効にする

Macの「システム設定」を開き、「Apple ID」を開きます。「iCloud」画面を開いて「写真」にチェックを入れます。

3 iCloud写真 設定を有効にする

「写真」アプリを起動し、メニューの「写真」→「設定」→「iCloud」と進みます。「iCloud写真」にチェックを入れましょう。

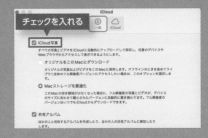

共有アルバムを使えば
ストレージを消費しない

iCloud写真は便利ですが、有効にすると最適化設定をしてもストレージ容量を大幅に消費します。そこで「共有アルバム」を利用しましょう。「共有アルバム」に写真を保存すれば、iCloudストレージ容量を消費することなく最大50万枚※の写真を保存できます。

1 「共有アルバム」を
有効にする

有効にする

iPhone/iPadの「設定」から「写真」を開き、「共有アルバム」を有効にしましょう。

2 Mac側も設定を
有効にする

チェックを入れる

Mac側でも共有アルバムは利用できます。「写真」アプリのメニューの「写真」→「設定」を開き、「共有アルバム」にチェックを入れます。

3 共有アルバムを
作成する

②「+」をタップしてアルバムを作成する

①「アルバム」を選択

iPhone/iPadの「写真」アプリを開き、「アルバム」タブを開きます。左上の「+」をタップして「新規共有アルバム」を作成しましょう。

4 共有アルバムを
作成する

「+」をタップして写真を追加

共有アルバムを作成したら開いて、「+」から共有したい写真を追加していきましょう。このアルバムに保存された写真はiCloudストレージを消費しません。

5 Mac側の「写真」で
共有アルバムにアクセス

Macの「写真」を起動してみましょう。サイドバーの「共有」に作成した共有アルバムが追加されており、クリックするとアルバムに保存した写真を閲覧できます。

！ここが
● ポイント

写真共有の容量
を確認する

iCloud写真を有効にするとiCloudのストレージが消費されますが、現在どの程度消費しているか知りたい場合は、システム設定の「Apple ID」から「iCloud」を開き、「管理」から「iCloud写真」で使用している容量を確認できます。また管理画面右上にある「ストレージプランを変更」でストレージプランを変更して、容量を追加することができます。

④ Macの「写真」アプリを
起動してiPhoneの写真を確認

Macの「写真」アプリを起動してみましょう。するとサイドバーにiPhone/iPadのアルバム名が表示され、クリックすると写真が一覧表示されます。

⑤ iPhone/iPadの「写真」アプリを
起動してMacの写真を確認

逆にiPhone/iPadの「写真」を起動して、「アルバム」を開きます。するとMacの「写真」アプリで作成したアルバム名が現れ、タップするとファイルを閲覧できます。重要なポイントとして、一部の端末で同期した写真を消すと、すべての端末で見られなくなりますので注意しましょう。

CHECK!!

Macのストレージ容量を
節約して写真をダウンロードする

Macの「写真」アプリの設定で、Macにオリジナルサイズの写真をダウンロードするか、最適化されたサイズをダウンロードするか設定変更ができます。標準設定ではオリジナル画質になっているので容量が気になる人は設定を変更しましょう。

※最大50万枚……iCloudの共有アルバムでは、1アルバムにつき5,000枚の写真を保存でき、アルバムを100個まで作成できる。

iPadユーザーなら知っておきたい
便利なMacテクニック

サイドカーとユニバーサルコントロールがおすすめ

MacにはiPadと連携するとより便利になる機能がたくさん用意されています。Mac上にある写真やPDFに手書きで注釈や修正を行いたい場合は「サイドカー」を使いましょう。サイドカーはMac上にある指定したウインドウをiPadにミラーリングさせる機能です。Apple Pencilや指を使ってMacのアプリを操作できるのが最大のメリットで、iPadを液晶タブレット代わりに利用できます。また、サイドカー独自のキーボードも用意されており、Macのキーボードを使わなくても文字入力や基本的な操作ができます。

MacとiPadの両方を効率的に同時操作したいなら「ユニバーサルコントロール」を使いましょう。有効にすると、Macのキーボード、マウス、トラックパッドを使って、近くにあるiPadを操作できるようになり、デバイスを持ちかえる手間がなくなります。さらに、MacとiPad間でファイルのやりとりもできます。

iPadを使った、2つの便利テクニックを理解しよう!

サイドカーのしくみ

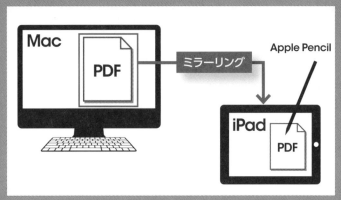

Mac上のアプリウインドウをミラーリング表示して、Apple Pencilや指でアプリを操作できる。

ユニバーサルコントロールのしくみ

マウスカーソルを端に移動させるだけで直接iPadを操作できる

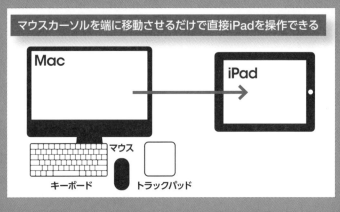

Macのキーボード、マウス、トラックパッドでiPadを直接操作できる。ファイルのやり取りもできる。

サイドカーを起動してMacのアプリを操作しよう

① 同じApple IDでMacとiPadにログインしてWi-Fiを有効にする

MacとiPadの両方で同じApple IDでログインしておきましょう。また、BluetoothとWi-Fiを有効にしましょう。

同じApple IDでログインする

② ウインドウの緑ボタンからサイドカーを起動する

iPadにミラーリング表示したいウインドウの緑ボタンにカーソルを当てます。メニューから「iPadに移動」を選択しましょう。

①緑ボタンにカーソルをあてる

②「iPadに移動」をクリック

③ iPadにウインドウが表示される

選択したウインドウがiPadに全画面表示されます。画面左端にあるサイドバーやApple Pencilを使って、アプリの操作ができます。

サイドバーを使って操作する

Apple Pencilで操作する

ユニバーサルコントロールで
MacでiPadを操作しよう

ユニバーサルコントロールでMacからiPadを直接操作するには、事前にシステム設定の「ディスプレイ」画面で連携させ、iPadのディスプレイの配置を決めておく必要があります。なお、サイドカー同様、Macと同じApple IDでiPadにログインしておきましょう。

1 利用するiPadを 連携させる

② 「キーボードとマウスをリンク」から利用するiPadを選択

① 「ディスプレイ」をクリック

システム設定から「ディスプレイ」を開き、右上のプルダウンメニューから「キーボードとマウスをリンク」で連携するiPadにチェックを入れましょう。

CHECK!!

「キーボードとマウスをリンク」に iPadが表示されない場合は?

ユニバーサルコントロールを利用するにはMacから10メートル以内に配置し、それぞれでBluetooth、Wi-Fi、Handoffを有効にしておく必要があります。また、iPadでモバイルデータ通信接続を共有していないこと、Macでインターネット接続を共有していないことが条件です。

2 iPadの配置場所を 設定する

ドラッグしてiPadの位置を指定する

「配置」ボタンをクリックして、iPadの配置場所を設定しましょう。配置した部分にマウスカーソルを移動させるとカーソルがiPadに移り操作できるようになります。

3 マウスカーソルを iPadに移動させる

① マウスカーソルをiPadへ移動させる

② 右クリックで長押し操作

マウスカーソルを配置した方向へ移動させるとiPadの画面にマウスカーソルが移動し、iPadを操作できます。長押し操作は右クリックでできます。

4 ファイルをやり取りする

ファイルをドラッグする

iPad上にあるファイルをMacに移動させることもできます。ファイルをドラッグしてMac側に移動させるとMacのデスクトップにファイルがコピーされます。

! ここが ●ポイント
サイドカーと ユニバーサルコントロールは どのように使い分ける?

ユニバーサルコントロールの使い方はさまざまですが、特に便利なのはiPadとのファイルのやり取りでしょう。ドラッグ&ドロップでMacに受け渡しができるので、iCloudやAirDropを使う必要がなく、逆にMacからiPadにファイルをドラッグ&ドロップで移動することもできます。

サイドカーのメリットは、Apple Pencilを使ってMacのアプリが操作できること……つまり、iPadでは本来対応していない高機能なMac用グラフィックアプリを手書きで使えることです。

サイドカーにするとTouch Barメニューが使える点も便利

---

④ PDFをマークアップで 編集してみよう

ここではMacのプレビューのマークアップを使ってみます。プレビューのマークアップボタンを有効にして、ドローイングを選択して、Apple Pencilで手書き入力をしましょう。

① マークアップを有効にする

② ドローイングを選択する

③ Apple Pencilで手書き入力する

⑤ PDFをiPadの画面に合うように 見開き表示にする

サイドカーでPDFを開いた状態で、緑のボタンをタップするとPDFがiPadの画面に合わせて見開き表示に変更してくれます。

緑色のボタンをタップ

⑥ サイドカーの接続を 解除する

サイドカーの接続を解除するには、サイドバー左下の接続解除ボタンをタップして、「接続解除」をタップしましょう。

① 接続解除ボタンをタップ

接続解除

② 「接続解除」をタップ

MacBookを外で使うときはiPhoneでネットに接続しよう

iPhone側を操作することなくネットに接続できる!

iPhoneを使っているなら、MacBookなどを屋外に持ち出したときは、iPhoneでネットに接続できます（テザリングと呼びます）。同じApple IDの機種であり、Bluetoothがオン、インターネット共有がONになっていれば簡単に接続できるでしょう。

1 MacとiPhoneの両機種で設定を確認する

iPhoneの「設定」で「Bluetooth」のONを確認し、「インターネット共有」の部分も設定しておきます。MacではメニューバーでBluetooth接続を確認しましょう。

2 メニューバーでインターネット共有を選ぶ

Macのメニューバーで「Wi-Fi」のアイコンをクリックし、「インターネット共有」の自分のiPhoneの名前を選択すれば接続できます。これはBluetooth接続の場合の方法です。

AirDropでiPhoneとファイルを超簡単に共有できる

画像やテキストファイルそのほか何でも送受信!

iPhoneやiPadで、現在開いているファイルをMacに送るには、「AirDrop」機能が便利です。とても高速に接続、転送できます。必要な設定は、Wi-Fi、Bluetoothがオンになっており、AirDropもオンになっていればOKです。画像などのファイルの共有アイコンから「AirDrop」を選び、送り先の相手の名前を選べばすぐに送信されます。複数の画像などもまとめて送信することができます。なお、自分のMac、iPhone間のやりとりだけでなく、ほかの人とファイルを送信、受信することも可能です。AirDropの設定で、「すべての人」か「連絡先のみ」のどちらかを選んでおきましょう。

1 iPhone側でAirDropの設定をする

iPhone、iPadで「設定」→「一般」→「AirDrop」と進み、「すべての人」か「連絡先のみ」のどちらかにチェックを入れましょう。

2 Mac側でもAirDropの設定をする

Macの「システム設定」→「一般」→「AirDropとHandoff」で、iPhoneと同様に「すべての人」か「連絡先のみ」のどちらかを選びましょう。設定はこれだけでOKです。

3 iPhone側からAirDropを使う

Macに送信したい画像などのファイルを開き、共有アイコンをタップし、「AirDrop」を選びましょう。次の画面で送信先をクリックすれば送信できます。

4 Mac側からAirDropを使う

Mac側からiPhoneにファイルを送る場合も同様に共有アイコンをクリックし、「AirDrop」をクリックすればOKです。

「写真」のライブラリを外付けHDDに移動する

iPhoneでたくさん写真を撮る人でも安心！

iPhoneの写真をMacにバックアップしていると（71ページ参照）、Macの内蔵ストレージがどんどん減っていきます。「写真」アプリでは、ライブラリを簡単に外付けストレージに移動できるので、その後は内蔵ストレージを減らさずにiPhoneの写真をためていくことができます。

1 ライブラリのファイルを外付けHDDにコピーする

コピーには長い時間がかかる場合もある

ライブラリのファイルは「写真ライブラリ.photoslibrary」です。このファイルを外付けHDDなどにコピーしましょう。「Macintosh HD」→「ユーザー」→「自分の名前のフォルダ」→「ピクチャ」にあります。

2 「写真」アプリでライブラリを読み込む

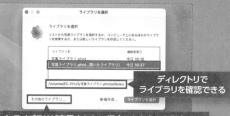
ディレクトリでライブラリを確認できる

新たなライブラリが表示されない場合はこちらから指定する

コピーが終わったら、「option」キーを押しながら「写真」を起動するとライブラリの読み込み画面が表示されます。外付けHDDの方にあるライブラリを読み込めば移動が完了です。

iPadでスピーディーに手書きの注釈を入れるには？

連係マークアップ機能はとっても便利！

MacにあるPDFなどに、Apple Pencilで手書きの注釈を入れたい場合は、86ページで解説しているサイドカーの機能が便利ですが、ほんの1ヶ所だけとかファイル1点だけ、などのような場合は、連係マークアップ機能が便利です。注釈を入れたいPDFをスペースキーで開き（クイックルック）、マークアップのボタンをクリックすれば、それだけでiPadの画面にPDFが表示され、Apple Pencilで書き込むことができます。事前の設定はサイドカーと同様に、同じApple IDでログインしており、Wi-Fi、Bluetoothをオンにしておく必要があります。書き込みが終了したら「完了」をタップします。

1 Safariの環境設定を開く

MacとiPadの両方で同じApple IDでログインしておき、Wi-Fi、Bluetoothがオンになっていることを確認しましょう。

2 注釈を入れたいファイルをクイックルックで開く

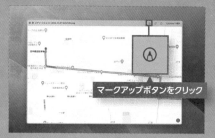
マークアップボタンをクリック

PDFや画像など開きたいファイルを選択してスペースキーを押します。そしてマークアップボタンをクリックするとPDFがiPadの画面にも表示されます。

3 iPadでPDFに注釈を入れよう！

このハンドルをドラッグして移動できる

さまざまなツールが使える
書き込みが終了したら「完了」をタップ

Mac上にあったPDFがiPadにも表示され、iPad標準のマークアップツールでPDFに注釈が入れられます。「完了」をタップするとiPadからPDFが消えます。

その他のiPhoneを

メッセージでSMS/MMSをiPhoneと同期する

転送する設定にすれば iMessage以外も取得！

Macでは、iMessage（青色で表示される）はデフォルトの設定で受信できますが、SMS/MMSを転送する設定にするとiPhoneと完璧に同じ状態で受信できてとても便利です。キャリアメールをメッセージアプリで受信している人には特に便利です。

1 メッセージの設定で SMS/MMS転送を……

iPhone側で「設定」→「メッセージ」→「SMS/MMS転送」と進み、メッセージを転送したいMacをオンにします。するとすぐにコードを入力するポップアップが表示されます。

2 Macに表示されている コードを入力すればOK

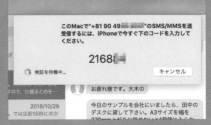

Macのメッセージアプリに表示されているコードを入力し、iPhone側で「許可」をタップすれば設定完了です。これで緑色のメッセージも受信可能です。

iPhoneにかかってきた電話をMacでとる

Macから手を離さず 電話にも対応できる！

Macでは、同一のWi-FiネットワークにあるデバイスiPhoneに着信があった場合、Macで応答することができます。発信することも可能で、FaceTimeアプリの連絡先から「iPhoneで通話」欄にある電話番号をタップすればOKです。

1 「iPhoneから通話」に チェックを入れればOK

設定は非常に簡単で、同じApple IDでFaceTime着信用のアドレスが設定された状態なら、FaceTimeアプリの「設定」で「iPhoneから通話」にチェックを入れればOK。

2 電話が来たら「応答」を クリックしよう

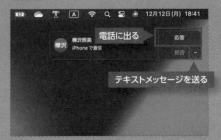

iPhoneに着信があると、すぐにMacの右上にも通知が出るので、「応答」をクリックして通話しましょう。右下の「∨」からテキストメッセージを送ることもできます。

MacとiPhoneのブックマークを同期する

iCloudの機能で 簡単に同期できる！

MacとiPhoneのSafari上の「ブックマーク」、「お気に入り」、「よく閲覧するサイト」も同期することができます。同じApple IDが設定されているMacとiPhoneならば、iCloudのSafariの設定をオンにしておけばそれだけで同期されます。

1 Mac側は「システム 設定」をチェック

まずMac側では「システム設定」→「Apple ID」→「iCloud」でSafariにチェックが入っていることを確認しましょう。

2 iPhone側は「設定」の 「Apple ID〜」を確認

iPhone側では、「設定」→「Apple ID、iCloud、iTunes〜」と記されている自分の名前の部分をタップします。そして「iCloud」に進み、Safariにチェックを入れましょう。

MacとiPhoneでクリップボードも共有できる

便利な「ユニバーサル クリップボード」機能！

MacとiPhoneでクリップボードを共有できる機能で、コピペが快適になります。テキスト以外に画像もコピペ可能なのがポイントです。両デバイスが「同じApple ID」、「Bluetoothがオン」「Wi-Fiがオン」「Handoffがオン」の条件で可能になります。

1 iPhone側で設定する

Wi-FiとBluetoothの確認はコントロールセンターですぐ確認できます。「Handoff」は「設定」→「一般」→「AirPlayとHandoff」で確認できるので設定しておきましょう。

2 Mac側でも設定する

Wi-FiとBluetoothをツールバーで確認し、あとは「システム設定」→「一般」→「AirPlayとHandoff」で「〜でのHandoffを許可」にチェックが入っているか確認しましょう。

日々増え続けるパスワードはiPhoneとMacで同期する

設定されていればパスワードを確認できる

ネットのアカウントや、サイトのパスワードなど、増え続けるパスワードは「iCloudキーチェーン」を使って一元的に管理できます。デフォルトでオンになっている場合が多いですが、もしオフになっていたら便利なのでぜひ設定しましょう。Macのログインパスワードを入力し、そのあとiPhoneから承認する必要があります。

保存されたパスワードを確認したい場合は、Safariの「設定」→「パスワード」でMacのログインパスワードを入れることで確認できます。ほかのブラウザでサイトを見る際などに利用しましょう。なお、ここではセキュリティ的に危険なパスワードを教えてくれる機能もあります。

「システム環境設定」→「Apple ID」を表示させる

オンになっているか確認

「システム設定」→「Apple ID」→「iCloud」と進み、「パスワードとキーチェーン」がオンになっているかを確認しましょう。なっていない場合は設定していきます。

1 Safariの環境設定を開く

Touch IDを使用するか、パスワードを入力する

キーチェーンに保存されたパスワードを見るには、Safariの環境設定を開き、「パスワード」のタブでMacのログインパスワードを入力しましょう。

2 保存されたデータが表示される

ここをクリックするとパスワードを見ることができる

見たいサイトをクリックする

Webサイトのパスワードを変更

パスワードの変更はここからできる

対象URL、ユーザー名、パスワードなど、キーチェーンの保存データが表示されます。使いまわしているパスワードや漏洩の危険性がある場合は、そう表示されます。

3 「編集」ボタンをクリックすればOK

Webサイトのパスワードを変更

パスワードが表示される

「編集」ボタンをクリックすることで、そのサイトのパスワードを確認できます。パスワードの危険性が表示されたら、なるべく早くパスワードを変更しましょう。

Ｍａｃ関連
用　語　集

Macを操作する上で、意味のわからない言葉、気になる言葉があった場合はここで理解しておきましょう。

4K【ふぉーけい】
ディスプレイ解像度のひとつ。横4000、縦2000ピクセル程度のディスプレイを4Kと呼びます。現在では外部ディスプレイの標準的なサイズとなっています。

5K【ふぁいぶけい】
ディスプレイ解像度のひとつ。横5000、縦2500ピクセル程度のディスプレイが5Kと呼ばれます。4Kビデオを編集する用途として、パソコン用ディスプレイで採用され始めています。

Apple ID【あっぷるあいでぃー】
iTunesやMac AppStore、iCloudなど、アップルのオンラインサービスを利用するために必要なアカウント。通常は登録したメールアドレスがApple IDとなります。

Apple Books【あっぷるぶっくす】
アップルの電子書籍ストアで書籍を購入して読むことができるアプリ。MacとiOSで履歴やブックマークを同期することもできます。アプリ名は「ブック」となっています。

AppleCare+【あっぷるけあぷらす】
アップル製品の延長保証サービス。通常1年のハードウェア保証と90日間の無料電話サポートが3年間に延長されます。製品購入から30日間以内に加入する必要があります。

Apple Pay【あっぷるぺい】
アップルが提供する電子決済サービス。Macで利用するにはTouch IDを搭載した機種とmacOS Sierra以上が必要です。Apple Pay対応のクレジットカードをwalletに登録すれば、対応のネットショップで簡単決済ができます。

Apple Store【あっぷるすとあ】
アップルの直営ショップ。店舗とオンラインストアがあります。製品の購入ができるほか、世界中の主要都市にある店舗では「Genius Bar」での各種サポート（修理や設定方法など）が受けられたり、さまざまなイベントが開催されています。

Apple TV【あっぷるてぃーびー】
テレビに接続して映像や音楽、ゲームなどが楽しめる製品。Hulu、Netflix、AbemaTVなどの人気コンテンツはもちろん、Apple Musicにも対応しています。

Apple TV+【あっぷるてぃーびーぷらす】
Apple TVの機能の1つで、月額900円のサブスクリプション形式でAppleオリジナルの映画、ドラマなどが見放題になります。iPhoneやiPadなどの新製品を購入すると3ヶ月無料で楽しめます。

Apple Watch【あっぷるうぉっち】
アップルが販売しているスマートウォッチ。iPhoneと連携して通知を受けたり、ヘルスケアなどさまざまなアプリが利用できます。またApple Watchを使用してMacのロックを解除することもできます。

App Store【あっぷすとあ】
アプリケーションを購入・インストールできるサービス。購入したアプリのアップデートも管理できます。

AirDrop【えあどろっぷ】
MacやiOSデバイス同士で簡単にデータのやり取りが行える機能です。

AirPlay【えあぷれい】
音楽をワイヤレスで送信するアップルの独自規格。対応するスピーカーやオーディオ機器を用意すれば、MacやiOSの対応アプリ（ミュージックなど）で再生した音楽を高音質で楽しめます。

Bluetooth【ぶるーとぅーす】
ワイヤレスで周辺機器やMac、iOS機器同士を接続するための規格。キーボードやマウス、スピーカーなどさまざまな機器を簡単に無線接続できます。

Boot Camp【ぶーときゃんぷ】
Mac上でWindowsを動作させることができるmacOS標準の機能。Macのストレージ領域を分割してWindowsをインストールします。OSの切り替えには再起動が必要です。

CPU【しーぴーゆー】
パソコンの頭脳にあたるパーツ。一般的には、コア数が多いほど同時に起動した処理が高速に実行され、クロック周波数が大きいほど1コアあたりの処理能力が高くなります。

Dock【どっく】
画面下部にあり、現在起動しているアプリや開いているフォルダを表示して素早くアクセスできる機能。よく使うアプリやフォルダを登録しておくこともできます。表示位置やサイズは細かく設定できます。

Dropbox【どろっぷぼっくす】
Mac上のDropboxフォルダをクラウドと同期できる定番のクラウドストレージサービス。無料で2GBの容量が利用できます。

Ethernet【いーさねっと】
LAN（ローカルエリアネットワーク）の標準規格。モデムやルータからLANケーブルを使用してコンピュータをインターネットに接続します。

Exposé【えくすぽぜ】
いま開いているウィンドウを見やすく並べて表示し、切り替えることができるMission Controlの機能です。

FaceTime【ふぇいすたいむ】
MacやiOSデバイス同士で使える無料通話ア

困ったときはAppleのサポートにアクセスしよう！

　Macにトラブルが発生した場合はAppleのサポートサイトにアクセスしましょう。Macの機種別、トラブルのカテゴリ別に多くの解決方法が掲載されています。該当するトピックや近い質問例がない場合は、Appleにチャット、または電話でのサポートを受けることができます。

　「起動しない」「フリーズしたまま動かない」などの状況ではなく、Macが起動している状態でネットに接続されている場合は、Appleのサポートの方からリモート接続してのサポートを受けることができ、これが非常に便利です。この場合は、自分のMacのシリアル番号が必要となります。シリアル番号の確認方法はサポートサイトに詳しく掲載されていますので安心です。

プリ。ビデオ通話のほか、音声のみの「FaceTimeオーディオ」も利用できます。利用にはApple IDの登録が必要です。

◉ Finder【ふぁいんだー】
ファイルの管理やアプリの起動を行う、macOSの最も基本的な機能のひとつです。

◉ Fnキー【えふえぬきー】
MacBookのファンクションキーは、デフォルトでは画面の明るさや音量を調節するキーになっていますが、Fnキーと同時に押すことで、ファンクションキーとして使用できます。設定で挙動を逆にすることも可能です。

◉ GameCenter【げーむせんたー】
ゲームのスコアを競ったり、オンライン対戦が楽しめるサービス。対応するゲームアプリを使えば、iOSユーザーとも対戦できます。

◉ Googleドライブ【ぐーぐるどらいぶ】
Googleが提供するクラウドストレージ。Gmailと容量を共用できるのが特徴で、GoogleドキュメントやGmailとの連携機能も利用できます。

◉ GPU【じーぴーゆー】
パソコンのグラフィック処理を担当するチップのこと。CPUに統合されているものと、個別に搭載されているものがあり、一般的には専用メモリを搭載する後者のタイプの方が性能が高くなります。

◉ Handoff【はんどおふ】
MacとiOSデバイス、Apple Watchを連携させる機能のひとつ。SafariやiWorkなど対応アプリで、中断した作業を他のデバイスで続行することができます。使用するにはBluetoothがHandoffに対応していることと、デバイスでHandoffを有効にする必要があります。

◉ HDMI【えいちでぃーえむあい】
現在最も普及しているデジタルビデオ伝送規格。ケーブル一本で、映像と音声を出力することができます。

◉ iCloud【あいくらうど】
アップルが提供するクラウドサービス。Apple IDを取得すると無料で5GBの容量が利用でき、有料プランも用意されています。同じIDでログインすることで、複数のアップル製端末で個人データやファイルを同期することができます。

◉ iCloudキーチェーン【あいくらうどきーちぇーん】
iCloudで同期できるデータのひとつ。ログインIDやパスワード、クレジットカード情報などを登録し、同期された全てのデバイスで自動入力できます。

◉ iCloud写真【あいくらうどしゃしん】
iOSデバイスやMacで撮影した写真やビデオをiCloudにアップロードして、どの端末からでも同じライブラリへアクセスできる機能。ライブラリを編集すれば、すぐに全ての端末に結果が反映されます。

◉ iMac【あいまっく】
ディスプレー体型のデスクトップMac。現在では24インチの機種がラインナップされています。

◉ iMovie【あいむーびー】
アップルが提供するビデオ編集アプリ。ビギナーでも簡単に映像作品を作成できます。App Storeから無料でダウンロード可能です。

◉ iOS【あいおーえす】
iPhone、iPad、iPod touchで採用されているOS（基本ソフト）の名称です。

◉ iPad【あいぱっど】
アップルのタブレット端末シリーズ。iPad、iPad Air、iPad mini、iPad Proなどのラインナップが用意されています。

◉ iPhone【あいふぉーん】
アップルのスマートフォン。2007年に登場以来、全世界で人気を集めています。

◉ IPアドレス【あいぴーあどれす】
ネットワークに接続しているすべての機器に割り振られるアドレス。4つもしくは6つの数字で構成されています。インターネット上の住所である「グローバルIPアドレス」と、LAN内の住所である「プライベートIPアドレス」の2種類に大別されます。

◉ iTunes【あいちゅーんず】
音楽やPodcast、ビデオなどを管理するアプリ。iOS機器を接続して様々な機能が利用できます。macOS Catalina以降はその機能の多くが「ミュージック」アプリに移行しました。

◉ iWork【あいわーく】
アップルが開発・提供するオフィス系アプリシリーズ。ワープロ「Pages」、スプレッドシート「Numbers」、プレゼンテーション「Keynote」の3アプリで構成され、無料でダウンロードできます。iOS版もあり、iCloudを経由して書類を同期したり、共同作業もできます。

◉ JPEG【じぇいぺぐ】
画像の圧縮技術のひとつ。不可逆形式なので、写真など自然なトーンの画像圧縮に向いています。圧縮率が高いほどファイルサイズが小さくなりますが、画質は劣化します。

◉ Keynote【きーのーと】
アップルが提供するプレゼンテーションアプリ。さまざまな素材を組み合わせて、効果的なスライドを簡単に作成できます。またアップル発表会での基調講演のことを指すこともあります。

◉ Mac App Store【まっくあっぷすとあ】
Mac用アプリを購入してインストールできるアプリ。購入済みアプリのアップデートの他、macOSのアップデートや新OSへのアップグレードもこのアプリから行えます。起動できるアプリをストア経由のみに制限することも可能です。

◉ Mac mini【まっくみに】
Macのデスクトップ機シリーズ。コンパクトな外観と価格の安さが魅力。別途ディスプレイ、マウス、キーボードが必要です。

Appleサポート
https://support.apple.com/ja-jp
ここから製品名で「Mac」を選び、困ったことのカテゴリを進んでいきましょう。

よくあるトラブルの解決例の他、トピックを検索することができるので、「Safari Gmail 添付ファイル」などのように細かく検索キーワードを入力して解決例を探しましょう。

解決例が探し出せなかった場合は、電話かチャットでオペレーターと話すことが可能です。日時を指定して電話をもらうこともできます。

Mac Pro 【まっくぷろ】
Macの上級モデル。最大28コアのZeon WプロセッサとデュアルGPUを搭載。高度な演算処理やグラフィック処理が必要なプロフェッショナルな現場に支持されています。

MacBookシリーズ 【まっくぶっくしリーず】
ノート型のMacシリーズ。拡張性が高く、メインストリームの「MacBook Pro」、低価格モデルで、持ち運びのしやすい「MacBook Air」の2機種がラインナップされています。

macOS Monterey 【まっくおーえす もんとれー】
2021年10月にリリースされたMac用のオペレーションシステム。バージョンナンバーは12。最新OSであるVenturaのひとつ前のシステムとなります。

MACアドレス 【まっくあどれす】
ネットワーク接続できる機器に割り振られた固有のアドレス。原則としてIPアドレスのように番号が変化することがないため、接続する機器を制限するときなどに用いられます。

Mail 【めーる】
macOSに標準搭載されているメールクライアント。POP3、IMAPに対応しており、プロバイダメールやWebメールの送受信が可能です。豊富なフィルタが使えるメッセージ振り分けや「VIP」など独自の機能も便利です。

Mission Control 【みっしょんこんとろーる】
macOS標準のデスクトップ管理機能。複数のデスクトップを作成して切り替える「Spaces」、開いているウィンドウを一覧して切り替える「Expose」などの機能を含みます。control＋上矢印キーで起動できます。

Numbers 【なんばーず】
スプレッドシート（表計算）を作成できるアップル製アプリ。ひとつのシートに複数のワークシートを配置できるなど、独自の機能も豊富。無料で利用できます。

Pages 【ぺーじず】
アップル製ワープロアプリ。テキストや写真だけでなく、ワークシートやグラフ、ムービーなどさまざまな素材を組み合わせて美しい書類を作成できます。

PDF 【ぴーでぃーえふ】
文書をデジタルで閲覧・印刷するためのフォーマット。使用するOSやアプリによってレイアウトが崩れることがないため、幅広く普及しています。macOSでは標準でサポートされ、ほとんどの標準アプリでPDFを作成できます。

Podcast 【ぽっどきゃすと】
音声ファイルの配信形式。Podcastアプリで番組を購読すると、エピソードが更新されたときに簡単にダウンロードして聴取できます。

Quick Look 【くいっくるっく】
macOS標準機能のひとつ。Finderでファイルを選択しスペースキーを押すことで、アプリを起動することなく内容を素早くプレビューできます。

Quick Time 【くいっくたいむ】
アップルが開発するマルチメディア技術の名称。Macで動画や音楽を再生したり、ビデオを編集するときなど、メディア全般を扱う際に利用されています。動画ファイル形式としての歴史も長く、拡張子「.mov」が用いられます。

RAM 【らむ】
パソコンを構成する重要なパーツのひとつ。CPUやGPUが処理するデータを一時的に格納する記憶媒体のこと。基本的にRAMのサイズが大きいほど、多数のアプリや大容量のデータを高速に処理できます。

Retinaディスプレイ 【れてぃなでぃすぷれい】
アップルが開発したディスプレイパネル技術。従来のパネルと比べPPI（インチあたりのピクセル数）が高く、まるで印刷物のような高密度・高精細な表示を実現しています。

RSS 【あーるえすえす】
Webコンテンツを配信するフォーマットの一種。ニュースサイトやブログで公開されているRSSフィードをRSSリーダーに登録することで最新記事をチェックできます。

Safari 【さふぁり】
Mac標準のWebブラウザ。macOSとの親和性も高く、独自機能も豊富。iOS版SafariとiCloudを経由してお気に入りやタブを同期できるのも便利です。

SharePlay 【しぇあぷれい】
FaceTime上で通話を継続しながら、複数人でビデオを見たり、音楽を聴いたり、そのほかのコンテンツを同時に楽しめる機能です。メッセージアプリでも利用できます。

Siri 【しり】
iOSではおなじみの音声アシスタント機能。SierraでMacに対応しました。Siriを起動したら、Macに調べて欲しい情報を尋ねたり、起動したいアプリを話しかけると、音声を認識して処理を実行してくれます。

SNS 【えすえぬえす】
FacebookやTwitterに代表されるソーシャルネットワークサービスの略称。Macではアカウントをシステムに登録すれば、標準アプリから SNS連携機能が利用できます。

Spotlight 【すぽっとらいと】
macOSの検索機能。controlキーとスペースキーを同時に押して起動できます。インデックスが作成されるので、検索スピードが高速なのも特徴。

SSD 【えすえすでぃー】
パソコンのストレージ（記憶媒体）の一種。フラッシュメモリを使用しているので、ハードディスクに比べ読み書きが高速なうえ、振動にも強く静か。反面、容量あたりの価格が高いのが難点です。すべての最新のMacで標準で採用されています。

Thunderbolt 【さんだーぼると】
周辺機器を接続するための規格の一つ。USB3.0と比べデータ転送速度が高速で、給電パワーもパワフルなのが特徴。外付けストレージや外部ディスプレイを接続して利用できます。

Time Machine 【たいむましん】
macOSのシステム全体をバックアップし、いつでも復元できる機能。使用には外付けのストレージが必要です。ファイル単位の復元や新しくMacをセットアップする際にも使用できます。

Touch ID 【たっちあいでぃー】
指紋センサーで端末のロック解除やパスワード入力、Apple Payの決済などができる機能。iPhoneでは5sから採用されていますが、Macでは2016年発売のMacBook Proで初めて採用されています。

USB 【ゆーえすびー】
周辺機器を接続するための規格の一つで現在最も一般的なポートです。USBにはUSB 1.0〜4まで多数の規格があり、データ転送速度などに違いがあります。

USB-C 【ゆーえすびーしー】
次世代のUSB規格。MacBookシリーズをはじめ、最近のMacの多くに搭載されています。コネクタの形状や向きが統一され、双方向の給電が可能になり、データ転送も充電も同じポートでケーブル一本で可能になります。

Wi-Fi 【わいふぁい】
ワイヤレスでネットワークに接続するための規格。無線ルータなどの親機を用意すれば、MacなどをWi-Fiでインターネットに接続できます。基本的に接続には親機で設定したパスワードが必要です。

zip形式 【じっぷけいしき】
ファイル圧縮形式のひとつ。Finderの右クリックメニューから簡単に作成することができます。メールなどで受け取ったZIPファイルは、ダ

ブルクリックで解凍できます。

アップルメニュー【あっぷるめにゅー】
macOSの左上隅に用意されているメニュー。どのアプリが起動していても常に表示され、再起動やスリープ、システム終了などができます。アプリがフリーズしたときにもここから「強制終了」を実行できます。

エイリアス【えいりあす】
Finderの機能の一つ。エイリアスを作成すれば、ファイルの保存場所を変更することなくエイリアスからそのファイルを開くことができます。

拡張子【かくちょうし】
ファイル名の末尾につける「.txt」や「.jpg」などの文字列のこと。ファイルの種類を判別するために使用します。アプリでファイルを作成すると、形式に合わせた拡張子が付加されます。

カラム表示【からむひょうじ】
Finderでの表示形式のひとつ。ファイル表示が縦に分割され、フォルダを選択すると、内包するファイルが右側のカラムに展開されていく表示方法です。ファイルを選択すると、そのファイルの情報が表示されます。

ギャラリー表示
Finderで使用できるコンテンツ表示形式のひとつ。画像ファイルのプレビューが大きく表示されます。

クラウド【くらうど】
インターネットサービス形式の一つ。データをサーバ上に保存することで、クラウドに接続した端末でデータを同期させたり、他ユーザーとのデータ共有がスムーズに行えるようになります。サービスとしてはiCloud、Dropbox、Evernoteなどがあります。

光学式ドライブ【こうがくしきどらいぶ】
CDやDVDを読み書きできるドライブのこと。現行のMacには光学ドライブが搭載されていないため、CDの音楽をインポートしたり、DVDを再生するには、USB接続のドライブを用意する必要があります。

コンテキストメニュー【こんてきすとめにゅー】
マウスの右ボタンをクリックした時に表示されるメニューのこと。トラックパッドでは2本指でクリック、1ボタンマウスではcontrolキーを押しながらクリックすることで表示されます。

サブスクリプション【さぶすくりぷしょん】
アプリの購入方法の一つ。一括でアプリを買い取るのではなく、一定の利用料金を支払う

間、アプリを使用できる仕組み。常に最新バージョンを利用できるメリットもあります。製品として、マイクロソフトの「Microsoft 365」やアドビの「Creative Cloud」などがあります。

ジェスチャー機能【じぇすちゃーきのう】
トラックパッドで決められた指の動きをすることでさまざまな処理を実行する機能。macOSではMission ControlやLaunchpadの起動などが実行できます。

システム環境設定【しすてむかんきょうせってい】
MacのOSやハードウェアの設定をカスタマイズするアプリ。アップルメニューから開くことができます。常駐するサードパーティー製アプリによっては、ここに設定項目が追加される場合があります。

ショートカットキー【しょーとかっときー】
マウスを使わずにキーボードだけでmacOSやアプリの機能を実行する操作。基本的に「command」キーとの組み合わせで使用します。メニューの右側に使用できるショートカットキーが記載されています。

スティッキーズ【すてぃっきーず】
macOSに標準で用意されている付箋アプリ。ちょっとしたメモを取る時に便利です。

スマートプレイリスト【すまーとぷれいりすと】
ミュージックの機能のひとつ。条件を指定して、合致した楽曲で自動的にプレイリストを作成してくれます。レートをつけた曲やアーティストを指定するなど、さまざまな条件を設定できます。

スワイプ【すわいぷ】
トラックパッドのジェスチャのひとつ。トラックパッドの表面を指で右もしくは左方向に「はらう」操作。Safariで前後のページに移動する時などに使用します。

ソフトウェア・アップデート【そふとうぇあ・あっぷでーと】
Mac App Storeで購入したアプリやmacOSの更新をインストールすること。Storeアプリを起動し「アップデート」タブから実行できます。

ダークモード【だーくもーど】
macOSのメニューやDockのカラーを暗くして目の負担を軽減する表示モード。システム環境設定の「一般」から有効にできます。

タッチバー【たっちばー】
2016年発売のMacBook Proから採用されたサブディスプレイ。ファンクションキーの代わりに細長いタッチスクリーンが搭載され、タッチ

式のファンクションキーとして使用するほか、対応アプリでさまざまな機能が利用できます。

タップ【たっぷ】
トラックパッドを指でトンッと触れる操作。強く押すとクリックと認識されるので注意しましょう。iOSデバイスでアプリを起動したりボタンを押すときも同様に「タップ」操作をします。

ツールバー【つーるばー】
アプリのウィンドウにある、機能ボタンが並んだパーツのこと。例えばSafariならアドレスや「ダウンロード」ボタンがある部分のことです。

テザリング【てざりんぐ】
iPhoneやiPadのモバイルネットワークを経由して、MacなどのWi-Fi機器をインターネット接続する機能。Handoffを使用すれば、接続したい機器からテザリングを開始することもできます。

ドラッグ&ドロップ【どらっぐあんどどろっぷ】
アイコンや選択した範囲をドラッグして、フォルダや開きたいアプリのアイコン、デスクトップなどに重ね、マウスのボタンを離す（ドロップする）操作です。

ピンチ【ぴんち】
トラックパッドのジェスチャの一つ。2本指を少し開いてタップし、タップしたまま2本の指を開いたり閉じたりする操作。拡大／縮小の操作などでよく使用されます。

ペアレンタルコントロール【ぺあれんたるこんとろーる】
ユーザーの年齢などに合わせて、起動できるアプリや再生できるコンテンツ、閲覧できるWebサイトなどを制限する機能です。

ホームシェアリング【ほーむしぇありんぐ】
iTunesのライブラリを、ホームネットワークに接続しているコンピュータやiOSデバイスと共有してストリーミング再生できる機能。最大5台まで接続できます。

ユニバーサルコントロール
近くにあるiPadを、Macのマウスとキーボードでシームレスに操作することができる便利な機能です。MacとMacでも利用できます。

ライブ変換【らいぶへんかん】
macOSの日本語入力で、かなを入力するだけで自動的に漢字に変換してくれる機能。変換するためにスペースキーを押す手間が省け、入力効率が大幅にアップします。設定でオフにすることも可能です。

Mac First Experience Perfect Guide

はじめての
Mac
パーフェクトガイド
2023

2023年1月10日発行

iPad 便利すぎる!
290のテクニック

初心者、入門者〜中級者を対象にした
iPadのテクニック集です。ギッシリと
情報が凝縮された1冊です。
152ページ/1,210円(税込み)
発行:スタンダーズ株式会社

執筆
河本亮

カバー・本文デザイン
ゴロー2000歳

本文デザイン・DTP
西村光賢

イラスト
浦崎安臣

編集人:内山利栄
発行人:佐藤孔建
発行・発売所:スタンダーズ株式会社
〒160-0008
東京都新宿区四谷三栄町12-4
竹田ビル3F
電話　03-6380-6132
印刷所:中央精版印刷株式会社

https://www.standards.co.jp